DOCUMENTOS RELATIVOS

A LA

INDEPENDENCIA DE NORTEAMÉRICA
EXISTENTES EN ARCHIVOS ESPAÑOLES

DOCUMENTOS RELATIVOS A LA INDEPENDENCIA DE NORTEAMÉRICA EXISTENTES EN ARCHIVOS ESPAÑOLES

I. Archivo General de Indias. Sección de Gobierno (Años 1752-1822).

II. Archivo General de Indias. Sección Papeles de Cuba. Correspondencia y documentación oficial de los Gobernadores de Luisiana (1777-1803).

III. Archivo Histórico Nacional. Correspondencia diplomática de la Embajada en Washington (1801-1820).

IV. Archivo Histórico Nacional. Embajada en Washington. Expedientes (1801-1820).

V. Archivo General de Simancas. Secretaría de Estado: Inglaterra (1750-1820).

VI. Archivo General de Simancas. Secretaría de Estado: Francia: (1774-1786).

VII. Archivo General de Indias. Sección Papeles de Cuba. Correspondencia y documentación oficial de varias autoridades de Luisiana y de las dos Floridas (1778-1817).

VIII. Archivo Histórico Nacional. Embajada en Washington. Correspondencia diplomática (1821-1833).

IX. Archivo General de Indias. Sección Papeles de Cuba. Correspondencia y documentación oficial de los Intendentes de Luisiana (1765-1827).

X. Archivo Histórico Nacional. Estado. Embajada de Washington. Expedientes (1821-1850).

XI. Archivo General de Simancas. Secretaría de Guerra: Guerra Moderna (1779-1802).

Los trabajos de recogida de datos para la redacción de estos inventarios han sido realizados bajo los auspicios del Comité Conjunto Hispano-Norteamericano para Asuntos Educativos y Culturales del Tratado de Amistad y Cooperación entre España y los Estados Unidos de América de 24 de Enero de 1976.

DOCUMENTOS RELATIVOS

A LA

INDEPENDENCIA DE NORTEAMÉRICA

EXISTENTES EN ARCHIVOS ESPAÑOLES

XI

ARCHIVO GENERAL DE SIMANCAS

SECRETARÍA DE GUERRA: FLORIDA Y LUISIANA
(AÑOS 1779 - 1802)

POR

MILAGROS ALARIOS TRIGUEROS Y
M.ª DEL CAMINO REPRESA FERNÁNDEZ

MINISTERIO DE ASUNTOS EXTERIORES
DIRECCIÓN GENERAL DE RELACIONES CULTURALES
MADRID

Mɪɴɪsᴛᴇʀɪᴏ ᴅᴇ Asᴜɴᴛᴏs Exᴛᴇʀɪᴏʀᴇs, Madrid, 1985.

Depósito Legal: M. 22006-1985.

ISBN 84-500-1410-7. Obra completa.
ISBN 84-85290-44-5. Tomo XI.

Impreso en España. Printed in Spain.
Gráficas Cóndor, S. A., Sánchez Pacheco, 81, Madrid, 1985. — 5920.

LEGAJO 6.912

AÑOS 1779-1785

CONQUISTA DE MOBILA Y PUESTOS DEL RÍO MISSISSIPPI
(EXPEDIENTES, EMPLEOS Y FECHOS)

1

1779, octubre, 3, San Ildefonso.

Carta dirigida al Conde de Floridablanca remitiendo despachos de los gobernadores de La Habana y Luisiana para que quede enterado de la situación y defensa de aquellas plazas, así como de las expediciones que se preparan contra los establecimientos ingleses.

1 doc., núm. 4.

2

1779, octubre, 3, San Ildefonso.

Carta dirigida por D. José de Gálvez a Bernardo de Gálvez, Gobernador de Luisiana, en la que le comunica que el Rey ha aprobado la buena acogida que ha dado a los indios chactás y al jefe de los indios cadaux, ya que de este modo se conseguirá que estén del lado de España y en contra de Inglaterra.

1 doc., núm. 5.

3

1779, octubre, 3, San Ildefonso.

José de Gálvez a Bernardo de Gálvez. Comunica que el Rey ha aprobado la entrega efectuada a Oliverio Pollock, agente del Congreso americano, de cierta cantidad de dinero destinada al mantenimiento de la fragata «Rebeca».

1 doc., núm. 6.

4

1779, octubre, 3, San Ildefonso.

José de Gálvez a Bernardo de Gálvez. Comunica que el Rey queda enterado de las grandes fuerzas que los ingleses tienen en los puertos de Natchez y Manchak. Asimismo informa que se han dado las órdenes oportunas para que se le envíen socorros desde La Habana y Nueva España.

1 doc., núm. 7.

5

1779, octubre, 16, Nueva Orleáns.

Bernardo de Gálvez a José de Gálvez. Recomienda a cuatro individuos, por los méritos contraídos en la expedición contra los establecimientos ingleses del río Mississippi: Francisco Collell, Subteniente; Vicente Rillieux, vecino de Nueva Orleáns; Luis Pablo Leblanc, Teniente y Carlos Laveau Trudeau, Subteniente. Individuos pertenecientes al Batallón de la Luisiana.

2 docs., núms. 8-9.

6

1779, octubre, 16, Nueva Orleáns.

Índice de las cartas núm. 325 a núm. 328 enviadas por Bernardo de Gálvez, gobernador de Luisiana, a José de Gálvez, Secretario de Estado y del Despacho de Indias, de las cuales hace un breve extracto.

1 doc., núm. 10.

7

1779, octubre, 16, Nueva Orleáns.

Bernardo de Gálvez a José de Gálvez. Da cuenta de los favorables sucesos acaecidos durante la expedición contra los siguientes establecimientos ingleses del Mississippi: Manchak, Baton Rouge, Panmure de Natchez, Tompson y Amith. Destacaron los siguientes oficiales: Julián Álvarez, Teniente de Artillería; Manuel González, Coronel; Esteban Miró; Jacinto París, Capitán; Gilberto A. Maxent y los americanos Pickle y Oliverio Pollock.

1 doc., núm. 11.

8

1779, octubre, 16, Nueva Orleáns.
1780, enero, 13, El Pardo.

Bernardo de Gálvez a José de Gálvez y respuesta. Recomendación hecha a favor de D. Josef de Valiere por haber participado en la expedición contra los fuertes ingleses del Mississippi. Se le concede plaza en el Batallón del Regimiento de Luisiana y ascenso de su hijo a Subteniente de Bandera en el mismo Regimiento.

3 docs., núms. 12-14.

9

1779, octubre, 16, Nueva Orleáns.
1779, noviembre, 20, Méjico.

Carta del Virrey de Nueva España a José de Gálvez. Adjunta una relación enviada por Bernardo de Gálvez en la que relata las vicisitudes acaecidas durante la toma de los fuertes Manchak, Baton Rouge y Panmure en el Mississippi. Informa del huracán que azotó la zona de Nueva Orleáns y destaca la actuación de Gilberto Antonio Maxent y Julián Álvarez.

2 docs., núms. 15-16.

10

1780, s. f., s. l.

Noticias sobre la toma de La Mobila para publicar en la Gaceta de la Corte.

3 docs., núms. 19-22.

11

1779, septiembre, 20, Nueva Orleáns.
1780, enero, 9, El Pardo.

Martín Navarro a José de Gálvez. Informa de las dificultades que encuentra para el desempeño de su labor como Intendente interino durante la ausencia de Bernardo de Gálvez, quien partió para proteger la provincia de Luisiana de incursiones inglesas.

Acompaña:
— Martín Navarro a José de Gálvez. Da cuenta del huracán que retiene la expedición contra Manchak (Nueva Orleáns, 20, septiembre, 1779).
— Martín Navarro a José de Gálvez. Expediciones llevadas a cabo contra los fuertes ingleses de Manchak, destacamento de Galveztown y tropa del río Amita con el resultado de la posesión para España de las dos orillas del Mississippi hasta río Hermoso o Belle Riviére (Nueva Orleáns, 20, septiembre, 1779).
— José de Gálvez a Martín Navarro. Concesión del grado de Mariscal de Campo a Bernardo de Gálvez. Premios a los distinguidos en la expedición contra los establecimientos ingleses del Mississippi. Se atenderá el fomento de los moradores de Luisiana (Madrid, 6, enero, 1780).
— José de Gálvez a Martín Navarro. Aprobando su conducta en lo relativo al aprovisionamiento de tropas.

5 docs., núms. 23-27.

12

1780, enero, 7, Veracruz.
1780, enero, 10, El Pardo.

José de Gálvez a Bernardo de Gálvez. Manifestando el agradecimiento real por la conquista de los establecimientos ingleses del Mississippi, y concediéndole el empleo de Mariscal de Campo.

2 docs., núms. 28-31.

13

1779, octubre, 16, Nueva Orleáns.
1780, enero, 23, El Pardo.

— Expediente: sobre la concesión de ascensos a oficiales que participaron en la expedición contra los establecimientos ingleses del Mississippi bajo el mando del Coronel Bernardo de Gálvez.

Capitanes: Gilberto Maxent; Alexandro Declouet; Francisco Gimar de Bellille (sic) (Simans de Velisle, sic.); Enrique Deprez; Miguel Cantrelle; Luis Dustiné; Nicolás Verbois; Carlos Brazeau.

Tenientes: Julián Lessassier; Juan Bautista Flamand; Joseph Gorel; Francisco Soubadon; Francisco Lemelle; Santiago Masicot; Pedro Boissié; Luis Judice; Donato Bello; Anselmo Blanchard; Agustín Alain.

Subtenientes: Antonio Bordelon; Miguel Judice; Simón Le Blanc; Alfonso Perret; Gilberto Guillemard; Mauricio O'Conor.

— «Relación de oficiales veteranos de distintos cuerpos que se han hallado en la expedición bajo el mando del Coronel Bernardo de Gálvez».

— «Relación de oficiales ingleses y alemanes hechos prisioneros en la expedición al mando del coronel B. de Gálvez».

— «Noticias de los oficiales y varios otros individuos que de resultas de esta expedición deben ser ascendidos».

— «Relación de los individuos de los cuerpos militares y de los empleados de Rcal Hacienda a quienes S. M. se ha dignado conceder ascenso de resultas de la expedición hecha contra los establecimientos ingleses del Mississippi».

— «Relación de los individuos de los cuerpos militares de España a quien S. M. se ha dignado ascender de resultas de la expedición hecha contra los establecimientos ingleses del río Mississippi bajo el mando del Mariscal de Campo, Bernardo de Gálvez, Gobernador de Luisiana».

11 docs., núms. 32-42.

14

1780, febrero, 6, El Pardo.
1780, marzo, 12, El Pardo.

Expediente: sobre envío de medallas de plata para repartir entre los oficiales de Milicias de color que destacaron en la toma de los establecimientos ingleses del Mississippi.

4 docs., núms. 43-46.

15

1780, enero, 12, El Pardo.

José de Gálvez a Vicente Rieux. Concesión del grado de Teniente por haber apresado una balandra inglesa.

1 doc., núm. 47.

16

1780, enero, 12, El Pardo.

José de Gálvez a Bernardo de Gálvez y respuesta. Distinción a Francisco Borell por su trabajo en la expedición contra los establecimientos ingleses del Mississippi.

2 docs., núms. 48-49.

17

1780, enero, 12, El Pardo.

José de Gálvez comunica que S. M. tendrá presente a Santiago Tarascón por sus servicios en la expedición del Mississippi.

2 docs., núms. 50-51.

18

1780, enero, 12, El Pardo.

J. de Gálvez al Sr. de Rusevé. Se ha ordenado a Bernardo de Gálvez que se le aumente el sueldo que goza por haber reducido a los indios chactás.

1 doc., núm. 52.

19

1780, marzo, 12, Luisiana.

«Plano del Río de La Mobila y estado de los navíos y pertrechos que se hallan en dicho sitio». M. P. D. XV-6.

1 doc., núm. 53.

20

1779, diciembre, 30, La Habana.
1780, abril, 30, Aranjuez.

Expediente: sobre concesión del grado de Capitán y Teniente en el 2.º Batallón del Regimiento Fijo de Luisiana a D. Francisco Maximiliano Maxent, quien trajo la noticia de las conquistas hechas en el Mississippi por el Gobernador de Luisiana, Bernardo de Gálvez.

6 docs., núms. 55-60.

21

1780, marzo, s. d., Mobila.
1780, junio, 25, Aranjuez.

Expediente: sobre concesión de tenencia con grado de capitán a Manuel González, Teniente del Regimiento de España, quien trajo la noticia de la rendición del fuerte de La Mobila.

4 docs., núms. 61-64.

22

1780, junio, 22, Aranjuez.
1780, agosto, 23, San Ildefonso.

Expediente: sobre concesión del grado de Brigadier a D. Jerónimo Girón por su actuación en la toma del castillo de La Mobila.

7 docs., núms. 65-72.

23

1780, marzo, 20, Mobila.

Bernardo de Gálvez a José de Gálvez. Da cuenta de la toma del castillo de La Mobila, empresa dificultada por la llegada de refuerzos ingleses desde Pensacola al mando del General Campbell. Respuesta de José de Gálvez felicitándole por el suceso (Aranjuez, 22, junio, 1780).

2 docs., núms. 73-74.

24

1780, marzo, 20, Mobila.

Bernardo de Gálvez a José de Gálvez. Remite:
— «Diario de los acontecimientos ocurridos en la toma de La Mobila» (Mobila, 18, mayo, 1780).
— «Artículos de la capitulación propuesta por D. Elías Durnford, Comandante de las tropas de S. M. Británica en el fuerte Charlota de La Mobila, acordados por D. Bernardo de Gálvez, General de la expedición» (Mobila, 13, marzo, 1780).
— «Relación de artillería, montaje, municiones y otros efectos hallados en el fuerte de La Mobila, efectuada por D. Juan de los Remedios, Subteniente» (La Mobila, 20, marzo, 1780).
— «Relación de prisioneros» (La Mobila, 20, marzo, 1780).
— Relación de muertos y heridos (La Mobila, 14, marzo, 1780).
— José de Gálvez a Bernardo de Gálvez. Acuse de recibo de los documentos anteriores (Aranjuez, 23, junio, 1780).

7 docs., núms. 75-81.

25

1780, noviembre, 27, La Habana.

Bernardo de Gálvez a José de Gálvez. Informa de sus diferencias con los generales de La Habana, Miguel de Goycoechea y Diego José Navarro, respecto al modo de realizar las expediciones de La Mobila y Pensacola y del retraso en el envío de refuerzos por parte de los mencionados generales.

2 docs. (por duplicado), núms. 82-85.

26

1781, enero, 17, Nueva Orleáns.

Martín Navarro a José de Gálvez. Adjunta una relación efectuada por José de Ezpeleta del ataque inglés al destacamento de La Aldea. Realza la actuación del Comandante Ramón de Castro y del Subteniente Manuel de Córdoba, quien perdió la vida. En el bando inglés pereció el Coronel de Waldeck. Envía un detalle de muertos, heridos y prisioneros (La Mobila, 15, enero, 1781).

6 docs. (3 por duplicado), núms. 87-91.

27

1780, octubre, 6, La Habana.
1781, febrero, 12, El Pardo.

Expediente: sobre la concesión de una subtenencia al Sargento del Fijo de Luisiana, D. Ignacio Balderas y aumento de sueldo a Juan Prieto, Guarda del almacén de Nueva Orleáns, ambos distinguidos en las expediciones del Mississippi y La Mobila.

2 docs., núms. 92-93.

28

1781, febrero, 15, El Pardo.

J. de Gálvez a B. de Gálvez. El Rey le ha relevado del empleo de Coronel en el Regimiento de Infantería de Luisiana y ha conferido dicho cargo al Teniente Coronel D. Esteban Miró.

1 doc., núm. 94.

29

1780, noviembre, 28, La Habana.
1781, febrero, 19, El Pardo.

Expediente: sobre concesión de grados y recompensas a los oficiales que participaron en la toma de La Mobila, entre ellos a D. Esteban Miró, Gilberto Maxent y Francisco Navas.

10 docs., núms. 95-105.

30

1780, noviembre, 28, La Habana.
1782, mayo, 8, Nueva Orleáns.

Expediente sobre concesión de pensión de viudedad a las mujeres del Capitán de granaderos, Alejandro Cousot y del Teniente Pedro Borell, muertos en La Mobila, en función de guerra.

8 docs., núms. 106-113.

31

1781, febrero, 23, El Pardo.

José de Gálvez a Bernardo de Gálvez. Comunica que él Rey ha concedido a D. Enrique Deprez, Capitán de Milicias de Nueva Orleáns, el sueldo de Teniente de Infantería, por el mérito contraído en la toma de La Mobila.

1 doc., núm. 114.

32

1781, febrero, 4, Nueva Orleáns.

Pedro Piernas, Comandante interino de Luisiana a José de Gálvez. José de Ezpeleta, Coronel Comandante de La Mobila informa del ataque inglés al destacamento de La Aldea, con algunas rectificaciones respecto a anteriores informes (La Mobila, 15, enero, 1781). Envía una relación de muertos, heridos y prisioneros de resultas de dicho ataque.

4 docs., núms. 115-118.

33

1781, febrero, 15, La Habana.

Diego José Navarro, Gobernador de La Habana, a José de Gálvez.

Remite:

— José de Ezpeleta, Comandante de La Mobila a Diego José Navarro. Refiere el ataque inglés a la isla Delfina (La Mobila, 22, enero, 1781).
— J. de Ezpeleta a D. José Navarro. Relata el ataque a La Aldea (La Mobila, 22, enero, 1781).
— Ezpeleta a Navarro. Ha ordenado una información sobre la bahía de La Mobila para saber si su entrada se halla o no obstruida (La Mobila, 6, enero, 1781).
— Juan Ignacio de Urriza a Navarro. Hace presente la necesidad de que continúe el envío de víveres para la subsistencia del ejército que ha de reunirse en La Mobila (La Habana, 13, febrero, 1781).
— J. de Gálvez a Navarro. Queda enterado del éxito del ataque a La Aldea y de la defensa de la isla Delfina. Informa de las gracias que S. M. concederá a los oficiales que se hallaron en La Aldea (Aranjuez, 20, abril, 1781).

5 docs., núms. 119-123.

34

1781, abril, 20, Aranjuez.

José de Gálvez al Intendente de La Habana. Comunica que S. M. ha concedido a cada uno de los soldados que defendieron la isla Delfina contra los ingleses, un escudo de ventaja.

1 doc., núm. 124.

35

1781, abril, 24, Aranjuez.

Real Orden por la que se concede el grado de Teniente, por el mérito contraído en la defensa de la trinchera de La Aldea, a Pedro Carné, Subteniente de Infantería ligera de fusileros de La Habana.

1 doc., impreso, núm. 125.

36

1781, febrero, 14, La Habana.

B. de Gálvez a J. de Gálvez. Recomienda a los oficiales que se distinguieron en el ataque inglés al destacamento de La Aldea.

Remite:
— Relación del ataque a La Aldea efectuado por J. Ezpeleta (La Mobila, 20, enero, 1781).
— Oficiales recomendados por Ezpeleta (La Mobila, 20, enero, 1781).
— Relación de muertos, heridos y prisioneros (La Mobila, 15, enero, 1781).
— J. de Gálvez a B. de Gálvez. Satisfacción real por el resultado del ataque a La Aldea y notificación de ascensos (Aranjuez, 19, abril, 1781).
— Empleos de la Real Hacienda concedidos después de la conquista de los puestos del Mississippi (8, agosto, 1781).

12 docs. (1 por duplicado), núms. 126-140.

37

1781, abril, 25, Aranjuez.

J. de Gálvez al Gobernador de La Habana. Comunica la orden del Rey de que la primera bandera que resulte vacante en la compañía de fusileros de esa plaza se confiera a Isidro Roig.

Remite:
— Juan Daban a Federico Gilis. Mismo asunto (La Habana, 3, septiembre, 1781).

2 docs., núms. 141-142.

38

1781, julio, 19, Nueva Orleáns.

B. de Gálvez a J. de Gálvez. Que, en cumplimiento de lo prevenido en real orden, ha mandado al Intendente Real de Hacienda se reparta el importe de los efectos hallados en el fuerte de La Mobila.

1 doc., núm. 143.

39

1781, mayo, 12, Pensacola.

«Diario de las operaciones de la expedición contra la plaza de Pensacola, concluida por las armas de S. M. Católica, bajo las órdenes del Mariscal de Campo, D. Bernardo de Gálvez». Artículos de la capitulación convenidos entre B. de Gálvez y los comandantes Juan Campbell y Pedro Chester.

2 docs., núms. 144-145.

40

1781, febrero, 12, La Habana.
1783, febrero, 26, El Pardo.

Expediente: sobre concesión de cordones de cadete y el sueldo que gozaba su difunto hermano Manuel de Córdoba, quien falleció en la defensa de La Aldea, a D. Miguel de Córdoba, para quien se solicita el ascenso a Teniente.

11 docs., núms. 146-156.

41

1781, agosto, 18 s. l.

Carpetilla dirigida al Gobernador de Luisiana aprobando el nombramiento de D. Arturo O'Neylli como Gobernador de Pensacola y de D. Enrique Grimarent para La Mobila.

Núm. 159.

42

1781, agosto, 18, s. l.

Carpetilla dirigida al Gobernador de Luisiana en la que se aprueban las guarniciones y demás dependencias que ha dejado en las plazas de Pensacola, La Mobila y Nueva Orleáns.

Núm. 160.

43

1781, julio, 20, La Habana.
1783, febrero, 20, El Pardo.

Expediente relativo a la conversión al catolicismo del inglés Nataniel Joseph Lendegren, oficial prisionero de guerra en el Mississippi, quien solicita pasaporte y medios para arreglar sus asuntos y bienes en Inglaterra.

17 docs., núms. 161-180.

44

1781, octubre, 26, La Habana.

B. de Gálvez a J. de Gálvez. Expone los motivos que le han llevado a tomar como rehenes al Mayor de Brigada Campbell, Secretrario de Juan Campbell, Comandante que fue de Pensacola, y a Roberto Deans, Capitán de navío, a consecuencia de la sublevación del fuerte Panmure de Natchez, instigada por J. Blomart, pese a que el fuerte había sido entregado a las armas españolas en virtud de la capitulación subsiguiente a la toma de Pensacola. Desea conocer la decisión de S. M. respecto al castigo que merecen los sublevados.

Remite:
— Proceso contra Juan Blomart, Comandante del Fuerte Panmure de Natchez (13, junio-1, julio, 1781).
— B. de Gálvez a J. de Gálvez. Remite copias de cartas cruzadas entre él y Juan Campbell, con motivo de la infracción que éste hizo de la capitulación de Baton Rouge (La Habana, 18, enero, 1782).
— B. de Gálvez a J. de Gálvez. Comunica que ha permitido la salida de Roberto Deans y James Campbell, prisioneros suyos, hacia España y Nueva Orleáns, respectivamente (La Habana, 26, enero, 1782).
— Roberto Deans. Comprometiéndose a permanecer en el puerto donde arribe hasta recibir órdenes reales para trasladarse a Madrid (La Habana, 26, enero, 1782).
— B. de Gálvez a J. de Gálvez. Notificándole lo anterior (La Habana, 27, enero, 1782).

— J. de Gálvez a B. de Gálvez. Participándole la decisión tomada por el Consejo de Guerra (San Lorenzo del Escorial, 20, noviembre, 1782).

— Dictamen del mencionado Consejo de Guerra (s. l., 18 octubre, 1782).

— B. de Gálvez a J. de Gálvez. Expresa su agradecimiento por las menciones con que le honra el Consejo de Guerra (Guarico, 24, abril, 1783).

32 docs., núms. 183-215.

45

1781, diciembre, 31, La Habana.
1782, junio, 30, Guarico.

Expediente: sobre concesión de retiro de Sargento a Juan Hebert y Maturino Landry, quienes fueron heridos en la expedición contra los establecimientos ingleses del Mississippi.

3 docs. núms. 216-218.

46

1782, marzo, 14, Barcelona.
1782, julio, 6, Barcelona.

Expediente: sobre concesión de una pensión vitalicia a Catalina Roig, madre de Isidro Roig, Sargento de Infantería ligera de Cataluña, que murió en el ataque de La Aldea, junto a La Mobila.

7 docs., núms. 219-225.

47

1784, agosto, 15, Trinidad.
1785, enero, 29, El Pardo.

José Sastre, Capitán del Regimiento de Infantería de La Habana, a J. de Gálvez. Envía una relación de la toma de La Mobila, de la que es autor.

— «Resumen del sitio, ataque y rendición del Fuerte Carlota, de La Mobila, en el mes de marzo de 1780, dirigido a las órdenes del Conde de Gálvez».

3 docs., núms. 229-232.

LEGAJO 6.913

AÑOS 1780-1784

CORRESPONDENCIA: EMPLEOS Y FECHOS. PENSACOLA.
REBELIÓN DE NATCHEZ. 1781-1782

48

1780, enero, 28, s. l.

Extracto de las gacetas inglesas sobre la toma de Pensacola por los españoles el 24 de diciembre de 1779. Consideraciones acerca de los prejuicios que acarrea a Inglaterra la pérdida de dicha plaza debido a su favorable posición estratégica y posibilidades comerciales.

2 docs., núms. 1-2.

49

1780, marzo, 3, Méjico.

Carta del Virrey de Nueva España a D. José de Gálvez. Intenciones de S. M. de arrojar a los ingleses de Méjico y orillas del Mississippi. El Gobernador de La Habana le ha pedido ayuda, concretamente un regimiento veterano de Veracruz, al cual considera difícil equipar, para emprender la toma de Pensacola y La Mobila, donde les espera el Brigadier D. Bernardo de Gálvez. Respuesta fechada en El Pardo el 1 de marzo de 1781.

2 docs., núms. 3-4.

50

1780, marzo, 13, El Pardo.

Despacho en el que se notifica a B. de Gálvez, Gobernador de Luisiana, el envío de un cuerpo de tropas a La Habana, bajo el mando del Teniente General D. Victorio de Navia, cuyo fin es la conquista o conservación de Pensacola y La Mobila. El dinero y víveres necesarios para la subsistencia de este armamento serán suministrados desde Nueva España.

1 doc., núm. 5.

51

1780, junio, 25, s. l.

Carpetilla dirigida al Gobernador de La Habana, en la que se le remiten los nombramientos de brigadieres de los Sres. Jerónimo Gijón y Manuel González, por los méritos contraídos en la toma de La Mobila.

Núm. 6.

52

1780, agosto, 28, La Habana.

Diego de Navarro, Gobernador de La Habana, informa a D. José de Gálvez de lo tratado y resuelto por la Junta de Oficiales Generales por él convocada; a saber, en primer lugar disponer la expedición para la conquista de Pensacola, especificando el número, composición y origen de las tropas destinadas a esta empresa y en segundo lugar la salida del convoy de azogues y registros destinados a Veracruz. Al margen se hace explícita la aprobación real.

Adjunto:
— Acta de la Junta de Oficiales Generales reunida en La Habana el 5 de agosto de 1780, en la que se resuelve que D. Bernardo

de Gálvez exprese el número de tropas y pertrechos que necesita para la expedición contra Pensacola. Está firmada, como las restantes, por Diego José Navarro, Victorio de Navia, Juan Bautista Bonet, Guillermo Waughan, José Solano, Juan Tomasés, Juan Manuel de Cagigal y Bernardo de Gálvez.

— Acta de la Junta de Oficiales Generales reunida el 6 de agosto de 1780 en la que D. Bernardo de Gálvez expresa el número de tropas y pertrechos necesarios para dirigir la expedición contra Pensacola. Igualmente se trató del envío de parte de una escuadra para que condujera a Veracruz azogues y registros. Acompaña:

— Demanda dirigida por D. B. de Gálvez a la Junta de Generales para la expedición contra Pensacola.

— «Estado que comprende lo perteneciente a un tren de 20 cañones de a 24..., 12 cañones de batallones, 2 morteros de a 12 pulgadas... las armas, útiles y demás efectos y pertrechos que corresponden».

— Acta de la Junta de Oficiales Generales reunida el 10 de agosto de 1780 en la cual D. B. de Gálvez especifica las tropas y pertrechos que necesita y da cuenta del estado de tropas de Pensacola y sus fortificaciones. Se apunta, como gran inconveniente para realizar la empresa, la escasez de alimentos. Se acuerda que la operación se llevará a cabo con tropas de la guarnición de La Habana cuyo número se completaría con las aportadas por D. Victorio de Navia. Acompaña:

— Relación de D. Bernardo de Gálvez acerca de las tropas y fortificaciones existentes en Pensacola, realizada a base de noticias obtenidas de D. José de Ezpeleta y soldados desertores.

— Real Orden de 20 abril 1780 dirigida al Gobernador de Cuba previniendo que se cumplan los mandatos de S. M. sin excusa. Suscrita por Diego Navarro.

— Oficios cruzados entre el Gobernador de La Habana, D. J. Navarro y los siguientes oficiales: D. Juan Ignacio de Urriza, Intendente del Ejército; Vicente García, Comandante de Artillería y Juan Bautista Bonet, Comandante de Escuadra. Son relativas al aprovisionamiento para la expedición contra Pensacola.

— Acta de la Junta de Oficiales Generales reunida el 14 agosto 1780 en la cual se dilató la resolución relativa al destino de una escuadra de observación en la expedición contra Pensacola y el envío de un convoy de azogues y registros para Veracruz.

Se nombra a D. José Manrique y a D. Bernardo Troncoso para que sirvan como brigadieres a las órdenes de B. de Gálvez.

— Acta de la Junta de Oficiales Generales reunida el 17 de agosto de 1780 en la que se resuelve la pronta salida del convoy destinado a Veracruz y de la expedición contra Pensacola. Acompaña:

— Oficio y respuesta cruzados entre D. J. Navarro, Gobernador de La Habana y D. J. I. de Urriza, Intendente del Ejército, relativas al aprovisionamiento de las tropas destinadas a Pensacola.

— Acta de la Junta de Oficiales Generales reunida el 21 de agosto de 1780 en la cual se resolvió enviar toda la guarnición de La Habana a la expedición contra Pensacola y se ordena a D. Juan Bautista Bonet que aporte cuatro navíos que irán a Veracruz y Pensacola.

— Oficios cruzados entre D. J. B. Bonet, Comandante General de la Marina de La Habana, y D. J. Navarro, Gobernador de esta plaza. Tratan de la habilitación de navíos destinados a Veracruz y Pensacola.

— Estado en el que se detalla el número de oficiales y tropas que forman parte de la expedición contra Pensacola.

— Oficio dirigido al Gobernador de La Habana en el cual se le comunica que el Rey aprueba, con algunas reservas, las resoluciones tomadas por la Junta de Generales en lo relativo a la expedición contra Pensacola y a la salida del convoy de azogues y registros a Veracruz (San Lorenzo del Escorial, 7, noviembre, 1780).

17 docs., núms. 7-23.

53

1780, agosto, 28, La Habana.
1780, noviembre, 2, San Lorenzo del Escorial.

Bernardo de Gálvez comunica su llegada a La Habana y espera orden para apresurar los preparativos necesarios para la toma de Pensacola. Respuesta de José de Gálvez en la que se da por enterado.

2 docs., núms. 24-25.

54

1780, octubre, 10, La Habana.

Bernardo de Gálvez a José de Gálvez: presenta quejas del tratamiento que le ha sido dado por los Sres. Navia y Navarro a raíz del nombramiento real de primer mando de la expedición de Pensacola. Al margen conocimiento real de estas quejas y descontento de S. M. por este proceder.

1 doc., núms. 26-28.

55

1780, octubre, s. d., La Habana.

Copia de una relación de seis oficios entre los Sres. Bernardo de Gálvez y Diego José Navarro; Navarro y Gálvez; Victorio de Navia y Navarro; Navarro y Gálvez y Juan Bautista Bonet y Navarro, fechados en La Habana. Tratan de los preparativos de la tropa que bajo el mando de B. de Gálvez irá a la conquista de Pensacola y sobre las negativas y retrasos del Gobernador de La Habana, Sr. Navarro, y del Sr. Navia, a poner bajo el mando del Sr. Gálvez dichas tropas.

1 doc., núm. 27.

56

1781, febrero, 12, El Pardo.

Respuesta dada por José de Gálvez a Bernardo de Gálvez en la que notifica la desaprobación real a la conducta del Gobernador de La Habana, Sr. Navarro y del Teniente General Victorio de Navia por no haber dado a B. de Gálvez las facilidades y el conocimiento de las tropas que, bajo su mando, irán a la conquista de Pensacola. Felicitaciones de S. M. por la prudente actuación del Sr. Gálvez.

1 doc., núm. 28.

57

1780, octubre, 13, La Habana.

B. de Gálvez a J. de Gálvez. Informa del estado de las tropas que componen la expedición, bajo su mando, contra Pensacola; de la relación de su Plana Mayor y del día de su embarco en La Habana.

Adjunto:

— Estado que especifica el número de oficiales y tropas de que se compone la expedición de Pensacola (La Habana, 8, octubre, 1780).

— Relación de los militares pertenecientes a la Plana Mayor y al Ministerio de Real Hacienda que se incluyen en la mencionada expedición (La Habana, 29, agosto, 1780).

Plana Mayor: Bernardo de Gálvez, Comandante General; José Manrique y Bernardo Troncoso, Brigadieres; Gerónimo Gixón, Mayor General; Francisco de Navas, Maestre General; Vicente Rizel, Comandante de Artillería; Roque Jacinto Sanz, Teniente de Vicario General; Esteban Miró, Pedro Rodríguez, Barón de Kessel y Arturo O'Neill, Ayudantes de Campo del Comandante General; Antonio Trevejo, Mariano de la Rocque y Dionisio de Valdenoches, ingenieros; Francisco Gelabert y Tomás de Céspedes, ayudantes del Maestre General; Josef de Alvarado y Miguel Otondo, ayudantes del Mayor General y Tomás del Rey, Auditor de Guerra.

Ministerio de la Real Hacienda: Josef Fajardo y Covarrubias, Ministro General; Gonzalo Zamorano, Tesorero; Francisco Durán, Interventor; Josef Caro, Protomédico y Vicente del Pozo, Cirujano Mayor.

— Respuesta real dándose por enterado (El Pardo, 16, febrero, 1781).

4 docs., núms. 29-32.

58

1780, octubre, 20, San Lorenzo del Escorial.

Orden para que se avise al Gobernador de Luisiana de la aprobación del Rey a la suspensión del sitio de Pensacola. Asimismo, se ordena que, una vez recibidos refuerzos, no se demore dicha operación bélica.

2 docs., núms. 33-34.

59

1780, noviembre, 3 a 6, Fragata «Nuestra Señora de la O».

Copia de una relación de oficios entre Gabriel de Aristizábal y Bernardo de Gálvez a propósito de la escolta de la fragata mercante «La Rosalía» que se dirigía de las colonias españolas a La Habana.

1 doc., núm. 35.

60

1780, noviembre, 22, La Habana.

Carta en la que el Gobernador de La Habana comunica a D. José de Gálvez los sucesos acaecidos a la fragata de guerra «La O» que salió de La Habana al mando de Bernardo de Gálvez; de su encuentro en la Sonda de las Tortugas con unos navíos de la Real Armada; de su llegada a las islas Candelarias junto a dos fragatas inglesas. Notificación del recibo de dinero para las empresas de La Habana y Luisiana.

1 doc., núm. 36.

61

1780, noviembre, 28, La Habana.

B. de Gálvez a J. de Gálvez. Informa de la tempestad acaecida sobre los navíos destinados a Pensacola y del refugio de algunas embarcaciones en Campeche, Nueva Orleáns y La Mobila. Destaca la acción de José Solano. Al margen, enterado y aprobación real.

2 docs., núms. 37-38.

62

1781, enero, 5, Palacio.

Pensión concedida a D. Antonio del Llano, Capitán del 2.º Regimiento de Infantería de Cataluña que participó en la toma de Pensacola.

1 doc., núm. 39.

63

1781, febrero, 15, La Habana.

B. de Gálvez a J. de Gálvez. Comunica la próxima salida destinada a la conquista de Pensacola, reuniendo antes las fuerzas que hay en Nueva Orleáns y La Mobila. Acuse de recibo en 20 de abril del mismo año.

2 docs., núms. 40-41.

64

1781, marzo, 1, El Pardo.
1781, marzo, 7, El Pardo.

Carta muy reservada dirigida a B. de Gálvez en la que le informan del acuerdo tomado entre Francia y España relativo a la campaña contra los ingleses, cuyo primer punto es la conquista de Pensacola. Se le comunica la respuesta dada por S. M. Católica a las preguntas formuladas por Francia para proceder de común acuerdo. Uno de los puntos tratados es el del envío de caudales y el dar socorro a las posesiones españolas amenazadas o invadidas por los ingleses. Confianza del Rey en D. Josef Solano para estas empresas.

2 docs., núms. 42-44.

65

1781, marzo, 25, s. l.

Extracto de D. Francisco de Saavedra del Diario de Operaciones de la expedición a Pensacola, fechado en 25 de marzo de 1781.

1 doc., núms. 45-47.

66

1781, abril, 7, La Habana.

Carta de D. Diego de Navarro a D. José de Gálvez en la cual le felicita por la toma del Castillo de Nicaragua y por la valerosa actuación de su sobrino D. Bernardo de Gálvez en la acción bélica habida en Pensacola contra los ingleses.

1 doc., núm. 48.

67

1781, abril, 7, La Habana.

D. Francisco de Saavedra a José de Gálvez. Se queja de los daños que la falta de noticias y ayudas de España les traen con respecto a los ingleses y a las colonias de América; tal es el caso de la malograda persecución de José Solano a una fragata inglesa por falta de embarcaciones adecuadas. Elogia a B. de Gálvez, J. B. Bonet, V. de Navia y al Gobernador de La Habana, Garcini. Acusa recibo de las noticias relativas a la salida de ocho navíos ingleses al socorro de Pensacola e informa de la salida de españoles en once navíos. En respuesta de José de Gálvez le notifican la decisión real de retrasar la conquista de Jamaica una vez finalizada la toma de Pensacola para, a cambio, centrarse en las costas de Guatemala y las islas de la bahía de Honduras y arrojar de allí a los ingleses.

2 docs., núms. 49-50.

68

1781, mayo, 26, Pensacola.

B. de Gálvez a J. de Gálvez. Le comunica la toma de la plaza de Pensacola realizada el 9 de mayo de 1781. Minuciosa relación de los hechos acaecidos. Informa del estado de las tropas enemigas; de la huida de compañías inglesas a Georgia; deserción de algunos soldados ingleses; ayuda proporcionada por negros e indios a tropas británicas. Destaca entre los prisioneros a D. Pedro Chester, Capitán General de la provincia y a D. Juan Campbell, Mariscal de Campo. Agradece la ayuda proporcionada desde La Habana por D. José Solano y la prometida, pero no realizada, por el caballero francés Monteill. Destaca por sus méritos al Mariscal de Campo D. Juan de Cagigal, al Brigadier Jerónimo Gijón a los coroneles Barón de Kessel y a D. José de Ezpeleta y al Capitán de navío D. Felipe López. Al margen: enterado y satisfacción del Rey.

Adjunto:
Diario de las operaciones de la expedición contra Pensacola, realizada bajo las órdenes del Mariscal de Campo, Bernardo de Gálvez (Pensacola, 12, mayo, 1781).

— Relación de muertos y heridos habidos en la toma de Pensacola (Pensacola, 12, mayo, 1781).

— Relación de prisioneros de guerra hechos el día 9 de mayo con ocasión de la rendición de Pensacola (Pensacola, 26, mayo, 1781).

— Inventario General de los efectos de artillería hallados en Pensacola en la fecha de su conquista. Fue realizado por D. Julián Álvarez, Capitán de Artillería; Tomás del Rey, Auditor de Guerra y Francisco Javier Navarro (Pensacola, 12, mayo, 1781).

— Relación de fuertes, cuarteles, pabellones y demás edificios de Pensacola y estimación de los mismos: Fuerte Jorge; Fuerte de las Barrancas; Plaza o Defensa Antigua de Pensacola y Casa de Gobierno Político (Pensacola, 15, mayo, 1781).

— Artículos de la Capitulación acordada entre D. Bernardo de Gálvez, representante de España, y D. Pedro Chester, Gobernador de Florida Occidental y D. Juan Campbell, Comandante General, ambos en representación de Inglaterra.

18 docs. (4 triplicados y 2 duplicados), núms. 51-68.

69

1781, mayo, 26, Pensacola.

B. de Gálvez a J. de Gálvez. Expresa el número de tropas que ha juzgado suficiente destinar para la defensa de las plazas de Pensacola, La Mobila y Nueva Orleáns. Respuesta en 18 de agosto con la aprobación real.

2 docs., núms. 69-70.

70

1781, mayo, 26, Pensacola.

B. de Gálvez a J. de Gálvez informa del envío de los pliegos que dan cuenta de la rendición de la plaza de Pensacola, envío que se efectuará en la fragata «El Chambequin Caimán» al mando de D. José Zerrato y en el paquebot «San Pío» Capitán José María Chacón. Al margen: aprobado y asignación real de un sueldo extraordinario por las gastos que habrá en este viaje a los dos capitanes.

Adjunta:

— Minuta dirigida al Marqués González de Castejón notificándole la orden de S. M. de pasar a estos dos capitanes la cantidad de dinero asignada (S. Ildefonso, 11, agosto, 1781).

— Carta de J. de Gálvez a B. de Gálvez en la que le comunica la aprobación real a las medidas por él tomadas (S. Ildefonso, 18, agosto, 1781).

3 docs., núms. 71-73.

71

1781, mayo, 27, Pensacola.

Índice de las cartas núms. 36, 37, 38 y 39 remitidas por B. de Gálvez a J. de Gálvez en las que se pide premie a M. Duforest, Capitán de Milicias de Nueva Orleáns, por su acción de intérprete de inglés en las expediciones de Baton Rouge, La Mobila y Pensacola. También recomienda a los señores Rousseau y Dupark del bergantín «Galveztown»; a Mr. Cannon, Oficial inglés en Maryland que, durante el sitio a esta plaza, se pasó a los ejércitos españoles; y a Calderón, para quien solicita la alcaldía de Xicayán (Nueva España).

1 doc., núm. 74.

72

1781, agosto, 18, s. l.

Carpetilla dirigida al Gobernador de Luisiana en la que se le notifica la concesión de un retiro a D. José Duforest.

Núm. 75.

73

1781, mayo, 27, Pensacola.
1781, agosto, 18, San Ildefonso.

Expediente de solicitud de premio para M. Rousseau y M. Duparck, capitanes del bergantín «Galveztown» por su intervención en la toma de Pensacola.

3 docs., núms. 76-79.

XI. — 3

74

1781, mayo, 27, Pensacola.
1782, abril, 4, Aranjuez.

Expediente de concesión del grado de Teniente a Mr. Cannon, Oficial inglés del Regimiento de Maryland, quien pasó a los ejércitos españoles durante el sitio de Pensacola. Dicho ascenso se suspende debido a los excesos cometidos por este oficial con posterioridad a esta solicitud.

5 docs., núms. 80-84.

75

1781, mayo, 27, Pensacola.

B. de Gálvez a J. de Gálvez. Recomienda a D. José García Calderón para que sea nombrado Alcalde Mayor de Xicayán (Nueva España), por los méritos contraídos en la expedición contra Pensacola.

Adjunto:
— Memorial de D. José García Calderón en el que solicita se le confiera la Alcaldía Mayor de Xicayán (Pensacola, 21, mayo, 1781).
— Relación de los méritos de D. José García Calderón (Pensacola, 21, mayo, 1781).
— Resolución por la que se niega la plaza solicitada por Calderón al no existir alcaldías vacantes.

4 docs., núms. 85-89.

76

1781, mayo, 26, Pensacola.
1781, agosto, 26, San Ildefonso.

Expediente sobre las peticiones de gracias y ascensos y las concesiones parciales a aquellos sargentos, oficiales y cadetes; estado eclesiástico; Real Hacienda y Justicia y Cuerpos de Artillería e Ingeniería. Ascendidos:

Juan Manuel de Cagigal a Teniente General; Jerónimo Girón a Mariscal de Campo; José de Ezpeleta, Manuel de Pineda y Barón de Kessel a brigadieres.

— Individuos ascendidos del Cuerpo de Artillería:
Vicente Risel a Coronel; Francisco Juan del Rey a Teniente Coronel; Salvador de Toro; Julián Álvarez; Manuel de Nova a Tenientes.
Cuerpo de Ingenieros:
Joaquín de Peramás, Antonio Fernández Trevejo a Tenientes Coroneles y Francisco Gelabert a Ingeniero Ordinario.

— Relación de oficiales, sargentos y cadetes del Ejército premiados por la conquista de Pensacola (San Ildefonso, 9 de agosto de 1781).

— «Variaciones que ha habido en los cuerpos comprehendidos en la Promoción».

— Despachos reales de grados y sueldos concedidos por la expedición de Pensacola a:
Marqués de Ataide ascendido a Coronel; Ignacio Pizarro, Bartolomé Sánchez, Manuel Conde, Domingo Oñoro, Santiago Justiz ascendidos a subtenientes del Regimiento Fijo de La Habana; Joseful Figueroa a Alférez de Dragones de La Habana, Bentura Orrueta y Joseph Petely a subtenientes del Regimiento Fijo de Luisiana.
Josef de Acosta, Joseph de Ville, Carlos de Villegoutin ascendidos a subtenientes de Infantería; Carlos de Villersa, Juan Godoi y Joseph Campana a subtenientes.
José Basarte e Ignacio de Estrada, a tenientes de Dragones; Baltasar Truxillo, Joseph María de La Torre, Martín Fontenel, Antonio Palomino y Joseph Noriega ascendidos a tenientes de Infantería.
Ramón Ferrer, Fernando Céspedes, Joseph Punzano, Joseph Bahamonde, Antonio de Oro ascendidos a capitanes de Infantería; Julián Vilars, Antonio Crespo a capitanes de Dragones; Pablo Jurado, Francisco Oñoro y Federico Lelis a tenientes coroneles de Infantería; Manuel Cavello a Teniente Coronel de Infantería; Joseph Fides y Antonio Fernández a tenientes coroneles de Dragones.

— Patentes de grados y sueldos:
Gilberto Guillemard, grado de Capitán de Infantería; Pedro Chavert, grado de Capitán de Ejército y Carlos de la Chaisse, grado de Ayudante de Carabineros Provinciales de Luisiana.

— Despachos de sueldos:

Francisco Bouligny, Carlos Brazo, Pedro Marigny, Nicolás de Verbois y Juan Sabadón.

67 docs., núms. 90-155.

77

1781, agosto, 10, San Ildefonso.

Autorización real a D. Miguel de Múzquiz para que conceda grados de Coronel a D. Pedro Rodríguez y a D. Juan de Urbina por los méritos contraídos en la conquista de Pensacola.

1 doc., núms. 156-157.

78

1781, agosto, 13, San Ildefonso.

Concesión de premios al Capitán Joaquín de Espinosa por su actuación en la toma de Pensacola.

1 doc., núm. 158.

79

1781, agosto, 13, San Ildefonso.

Carpetilla en la que se concede ascenso al ingeniero D. Antonio Ramón del Valle con el grado de Teniente Coronel de Ejército.

Núm. 159.

80

1781, agosto, 16, s. l.

Resolución en la que se nombra a D. Bernardo de Gálvez Gobernador de las provincias de Pensacola, Apalache y Luisiana recuperadas por la Corona de España y antes posesión inglesa bajo el nombre de Florida Occidental y cambio de nombre de la Bahía de Pensacola por Bahía de Santa María de Gálvez.

1 doc., núms. 160-161.

81

1781, agosto, 18, San Ildefonso.

Se comunica a Bernardo de Gálvez que S. M. ha concedido una pensión, para su subsistencia a D. Simón de Calfá, Capitán y Comandante de Pardos y Morenos de Luisiana, por los méritos contraídos en la conquista de Pensacola.

1 doc., núm. 162.

82

1781, agosto, s. d., San Ildefonso.

Despachos reales por los que se concede a Juan Caballero, Francisco Cabrera y Gerónimo Segovia el grado de Alférez de Caballería por los méritos contraídos en la conquista de Pensacola.

3 docs., núms. 163-165.

83

1781, mayo, 26, Pensacola.
1781, agosto, 5, San Ildefonso.

Expediente relativo a la intervención real para que ciertos oficiales franceses que participaron en la toma de Pensacola y pertenecieron a la escuadra de M. Monteill sean premiados por ello. Incluye los siguientes documentos:
— Minuta dirigida al Sr. Conde de Floridablanca (5, agosto, 1781).
— Carta dirigida al Sr. Conde de Floridablanca (San Ildefonso, 5, agosto, 1781).

Adjunto:
— Carta de Bernardo de Gálvez a José de Gálvez (Pensacola, 26, mayo, 1781).

Adjunto:
— Relación de los oficiales franceses en la que se especifican las gracias que solicitan (Pensacola, 26, mayo, 1781).
— Comunicación de la resolución real dirigida a D. Bernardo de Gálvez (San Ildefonso, 18, agosto, 1781).

4 docs., núms. 166-170.

84

1781, mayo, 28, Pensacola.
1782, diciembre, 28, Pensacola.

1.º Real Orden por la que en adelante la Bahía de Pensacola, el castillo de Santo Tomé y el fuerte Jorge se llamarán bahía de Santa María de Gálvez, castillo de San Carlos y fuerte de San Miguel respectivamente. Acuse de recibo del Gobernador de Pensacola, D. Arturo O'Neill.

2.º Remisión de banderas inglesas y alemanas que se hallaban en Pensacola en el momento de su conquista. Ha decidido S. M. sean enviadas en momento más seguro junto a las de los fuertes del Mississippi y La Mobila, reservando algunas para la iglesia de Nueva Orleáns.

10 docs., núms. 171-180.

85

1781, agosto, 21, Madrid.

Instancia y certificación correspondientes de D. Juan Antonio Fernández de Silva, vecino de La Habana, quien solicita se le conceda una oficialía real en el río de La Acha (sic) o en cualquier otra vacante en Nueva España en virtud de su participación en las campañas contra el corso y Pensacola.

2 docs., núms. 181-182.

86

1781, agosto, 28, San Ildefonso.
1781, octubre, 26, San Lorenzo del Escorial.

Cartas dirigidas a B. de Gálvez en las que S. M. agradece y premia a los siguientes individuos, por los servicios prestados en la conquista de Pensacola.
— Marcos Traver, cirujano; Juan Gámez, Ayudante de Campo; Cirilo de Barcelona, Vicario General y Juez Eclesiástico; Francis-

co Javier de Navas, Ingeniero en 2.ª e Individuos del Piquete de Carabineros de Luisiana.
Carta dirigida al Miliciano Bassot. Mismo asunto.

8 docs., núms. 183-190.

87

1781, mayo, 16, Pensacola.
1782, enero, 18, La Habana.

Carta de D. José Fajardo y Covarrubias a D. José de Gálvez participándole la noticia de la toma de Pensacola el 9 de marzo pasado bajo el mando de D. Bernardo de Gálvez y presentando un resumen de su comportamiento en ella como Ministro de Hacienda (Fajardo).
Nombramiento de D. José Fajardo y Covarrubias de Comisario Ordenador del Ejército.

5 docs., núms. 192-195.

88

1781, mayo, 11, Pensacola.
1782, enero, 18, La Habana.

Expediente que trata de varias solicitudes dirigidas al Rey por los siguientes individuos que tomaron parte en la expedición contra Pensacola.
Francisco Durán, Interventor de la Real Hacienda, solicita una Alcaldía Mayor en Nueva España; Gonzalo Zamorano, Tesorero, solicita plaza de Oficial Real de Guanajato; Josef del Pino, Proveedor General, solicita empleo de Oficial Real y Agustín de Trevilla, Comisario, solicita plaza de Oficial Real en Nueva España.

13 docs., núms. 196-208.

89

1782, enero, 18, La Habana.

Bernardo de Gálvez a José de Gálvez. Acusa recibo del aviso en que se le comunica que S. M. ha premiado a D. Joaquín de Espinosa, Capellán del Regimiento de Luisiana por su comportamiento en Pensacola.

1 doc., núm. 209.

90

1782, enero, 18, La Habana.

B. de Gálvez a J. de Gálvez. Real Orden en la que nombra al Teniente de Milicias de Nueva España D. Francisco Layseca por su participación en la conquista de Pensacola.

Adjunto:
— Real Orden nombrando a Francisco Layseca Teniente de Milicias de Nueva España (San Ildefonso, 20, agosto, 1781).

2 docs., núms. 210-211.

91

1781, agosto, 18, s. l.

Carpetilla dirigida al Gobernador de Luisiana en la que se le comunica la aprobación real por el nombramiento de D. Arturo O'Neill como Gobernador de Pensacola y de D. Enrique Grimarent como Gobernador de La Mobila.

Adjunto:
— J. de Gálvez a B. de Gálvez comunicándole el conocimiento y la aprobación real a la recomendación hecha a favor de D. Enrique Grimarent, Capitán de Navarra, con preferencia a D. Nemesio Salcedo (El Pardo, 23, enero, 1782).

1 doc., núm. 212.

92

1781, agosto, 9, San Ildefonso.
1782, enero, 18, La Habana.

Minuta dirigida a D. B. de Gálvez comunicándole la concesión de medallas y gracias a Carlos Calfá y Pedro Tomás, Subteniente de Pardos y Teniente de Morenos, respectivamente. Igualmente se le informa que premie a los oficiales que lo merezcan por la toma de Pensacola. Respuesta de B. de Gálvez a J. de Gálvez en la que se da por enterado de los premios concedidos.

2 docs., núms. 213-214.

93

1782, marzo, 23, La Habana.
1782, noviembre, 8, s. l.

Tomás Domingo del Rey solicita la gracia de honores de Oidor de Audiencia alegando los méritos contraídos por su actuación en Pensacola como auditor.

2 docs., núms. 215-217.

94

1781, agosto, 23, San Ildefonso.
1782, junio, 30, Guarico.

Concesión del grado de Capitán de Infantería a D. Baltasar Truxillo, Ayudante de la Compañía de Tiradores de Yucatán, quien participó en la conquista de Pensacola y a quien por error se le concedió el grado de Teniente.

5 docs., núms. 218-222.

95

1782, mayo, 4, La Habana.
1782, junio, 5, La Habana.

Concesión de sueldos a los familiares de los fallecidos en la toma de Pensacola: Juan Machado, Manuel de Pardos, Manuel Castellanos y Basilio Pérez, pertenecientes a los Batallones de Pardos y Morenos.

3 docs., núms. 223-225.

96

1782, enero, 18, Pensacola.
1782, julio, 26, San Ildefonso.

D. Arturo O'Neill, Gobernador de Pensacola, envía una relación de víveres, vestuarios y demás existencias en los almacenes de la citada plaza para información de Su Majestad.

3 docs., núms. 226-228.

97

1782, agosto, 21, El Ferrol.

Juan José Vallarino, Contador de navío de la Real Armada, solicita empleo en América, presentando los méritos contraídos en las conquistas de La Mobila y Pensacola e informa que fue él quien trajo a España la noticia de la rendición de esta última plaza.

1 doc., núms. 229-230.

98

18781, octubre, 12, La Habana.
1783, febrero, 28, Guarico.

Expediente sobre concesión de inválidos, retiros y viudedades a aquellos que participaron en la conquista de Pensacola:
— Relación de individuos inutilizados: Felipe Alcázar, Capitán; Miguel Floriana, Manuel Año y Matías Muñoz, soldados; Rafael Zorrilla, Cabo; Diego Anguila, Santos Arduengo, Bartolomé Álvarez, Lucas González, Inocencio Nieva, Ubaldo Ortega, soldados; Manuel Gutiérrez, Cabo; Ventura Mone, Antonio Blasi, soldados.
— Relación de sargentos y soldados que piden la gracia de inválidos y destino: Josef Castillo, Juan Peña, Luis Verris, Francisco Lafón, Francisco Borcini, Francisco Andilla, Miguel Navarro, Juan Subiranas, Antonio Gaspar, Sargento 2.º, Pedro Paturrau, Cabo 1.º y Andrés Perelló.
— Relación de los fallecidos.

— Noticias de las viudas e hijos de oficiales.

24 docs., núms. 231-255.

99

1781, marzo, 17, Ceuta.
1782, noviembre, 16, San Lorenzo del Escorial.

Despacho de Miguel de Múzquiz a José de Gálvez presentando solicitud de ascenso del oficial D. Nemesio Salcedo. Participó en la toma del castillo de La Mobila. Recomendación de su tío D. Domingo Salcedo, Gobernador de Ceuta.

2 docs., núms. 256-258.

100

1782, mayo, 10, Aranjuez.
1783, mayo, 4, Aranjuez.

Expediente relativo a los capitanes ingleses Robert Deans y James Campbell apresados por Bernardo de Gálvez en la conquista de Pensacola y confinados el primero en España y el segundo en Luisiana. R. Deans solicita pasar a Inglaterra bajo canje o palabra de honor. La corte de Londres, a través de Mr. Fitzherbert negocia con el Conde de Aranda en París para lograr que ambos rehenes sean liberados. Pese al conocimiento de los malos tratos que Mr. Deans dio a los españoles antes de la rendición de Pensacola y a no haberse firmado aún el Tratado definitivo de Paz entre España y Gran Bretaña, Su Majestad concede a dicho oficial la gracia de pasar a su país.

28 docs., núms. 259-289.

101

1783, julio, 8, Palacio.

Carta dirigida a D. Mateo Villamaior notificándole el indulto concedido por el Infante Guillermo de Inglaterra, Duque de Lancáster, al inglés Juan Blomart y demás cómplices en la sublevación del Fuerte de Natchez, a su paso por Guarico y encuentro con D. Bernardo de Gálvez. Aprobación de S. M. Católica del mencionado indulto.

1 doc., núm. 290.

102

1783, noviembre, 16, San Lorenzo del Escorial.

Carta dirigida al Virrey de Méjico pidiendo información sobre el establecimiento de Pensacola entre los años 1719-1762; su toma y reconquista en 1719 por los franceses, en 1762 posesión española, cesión a los ingleses en 1763 y última recuperación española por el Conde de Gálvez. Descripción histórico-geográfica fechada en 1693.

1 doc., núm. 291.

103

1784, enero, 16, El Pardo.

Carta dirigida al Presidente de la Contratación de Cádiz, Sr. Manxon para que junto al Comandante General del Resguardo, D. Antonio de Gálvez informen sobre la instancia remitida por D. Francisco Genis, Capitán del paquebot «San Francisco de Paula». En ella informa que hallándose en La Habana fue fletado su buque para conducir pertrechos de guerra a la expedición de Pensacola sobreviniendo un temporal en el que perdió todo y por lo cual suplica a S. M. le conceda alguna ayuda.

1 doc., núms. 292-293.

104

1782, julio, 25, Puerto de Santa María.
1784, enero, 26, El Pardo.

Expediente de concesión de una pensión vitalicia a Doña Josefa Cabañas, viuda de D. Francisco Borrajo, Cirujano del Regimiento de España, que murió a causa de una tormenta cuando se dirigía a Pensacola. En el año 1784 solicita aumento de dicha pensión.

7 docs., núms 294-301.

105

S. f., s. l.

«Diario de las operaciones que ejecuta la expedición del Mariscal de Campo, Comandante General de ella, de 9 de marzo que desembarcó en la isla de Santa Rosa.» Entre otras cosas, se cita la ayuda recibida del Coronel D. José de Ezpeleta, quien venía por el río del Buen Socorro a atravesar por tierra al río Perdidos.

1 doc., núm. 302.

LEGAJO 6.914

AÑOS 1787-1788

106

1779, mayo, 9, Madrid.
1788, noviembre, 21, Madrid.

Expediente: sobre pagos y remisión de bienes y efectos del fallecido Sargento Mayor de Pensacola, Francisco María Bonet, a su viuda M.ª Ángela Fernández.

49 docs., núms. 2-59.

107

1781, julio, 15, Nueva Orleáns.
1788, septiembre, 29, San Ildefonso.

Expediente: solicitud de ascenso al grado de Teniente Coronel del ejército y Cruz de la Orden de Carlos III, para el Capitán D. Pedro Marigny.

8 docs., núms. 60-68.

108

1783, febrero, 25, Puerto de Santa María.
1788, marzo, 8, Nueva Orleáns.

Expediente: sobre la concesión de licencia, para pasar a Francia, y abono de sueldo a D. José Javier de Pontalba, Capitán del Regimiento Fijo de Luisiana.

39 docs., núms. 69-111.

109

1786, agosto, 31, Nueva Orleáns.
1787, marzo, 24, Nueva Orleáns.

D. Esteban Miró, Gobernador de Luisiana, La Mobila y Pensacola, al Marqués de Sonora. Participa la petición hecha por D. José de Fides, Capitán de la extinguida Compañía de Dragones, de que se le conceda cierta suma de dinero. Remite el resumen, hecho por este Capitán, de la caja de la extinguida Compañía de Dragones de Luisiana.

2 docs., núms. 112-114.

110

1786, noviembre, 2, Nueva Orleáns.
1787, noviembre, 10, San Lorenzo del Escorial.

Expediente: relativo a la aprobación Real para la construcción de un cuartel, caballeriza y almacén de forrajes, para alofar a los individuos miembros de la Compañía de Dragones del Regimiento de Méjico, que pasan al servicio de Luisiana.

3 docs., núms. 115-118.

111

1786, noviembre, 7, Nueva Orleáns.
1788, enero, 8, Nueva Orleáns.

Expediente: Su Majestad condena a Bernardo Cosert, soldado del Regimiento de Infantería de Luisiana, a trabajos de obras de fortificación en Puerto Rico, por el delito de «2.ª deserción sin iglesia» (sic).

7 docs., núms. 119-127.

112

1787, enero, 31, Madrid.
1788, febrero, 18, Nueva Orleáns.

Expediente: sobre la concesión de licencia y sueldo a D. José Monroy, Capitán del Regimiento Fijo de Luisiana.

9 docs., núms. 128-140.

113

1787, febrero, 1, Nueva Orleáns.
1788, diciembre, s. d., s. l.

Expediente: relativo a la falta de oficiales en el Regimiento Fijo de Luisiana y envío de reclutas a Luisiana desde España y La Habana.

8 docs., núms. 141-152.

114

1787, febrero, 15, Pensacola.
1788, febrero, 16, El Pardo.

Expediente: se aprueba la construcción de un pequeño fuerte y el envío de un destacamento de tropa a San Marcos de Apalache en la Florida Occidental.

12 docs., núms. 153-168.

115

1787, marzo, 9, El Pardo.
1787, octubre, 26, Cádiz.

Expediente: sobre concesión de una Subtenencia en el tercer Batallón del Regimiento de Infantería Fijo de Luisiana, y subsiguiente embarco hacia su destino, a favor de D. Basilio Arredondo.

4 docs., núms. 169-173.

116

1787, marzo, 24, Nueva Orleáns.

D. Esteban Miró, Gobernador de Luisiana, al Marqués de Sonora.

Remite:

— Instancia de Pedro Marigny, Teniente de ejército y Comandante de la nueva población de San Bernardo, en Luisiana, que fue Ayudante de Campo del Conde de Gálvez en la conquista de los establecimientos ingleses del Mississippi, y, posteriormente, en las expediciones de La Mobila y Pensacola, en la que solicita el ascenso al grado de Capitán de los Reales ejércitos (Nueva Orleáns, 22, marzo, 1787). Nota en la que se comunica que se le ha concedido la licencia para pasar a Francia (31, agosto, 1878).

2 docs., núms. 174-177.

117

1787, enero, 26, Nueva Orleáns.
1787, diciembre, 1, Nueva Orleáns.

Expediente: concesión de licencia para pasar a España por un año, a D. Felipe Treviño, Capitán del Regimiento de Infantería Fijo de Luisiana.

5 docs., núms. 178-183.

118

1787, abril, 4, Madrid.

Carpetilla dirigida al Gobernador de San Agustín de la Florida, sobre la restitución al Regimiento de Infantería de Hibernia, de Carlos Howard, Capitán de dicho Regimiento y Secretario interino del Gobierno de San Agustín de la Florida.

1 doc., núm. 184.

119

1787, abril, 10, Madrid.
1788, mayo, 12, Aranjuez.

Dos carpetillas, correspondientes al expediente que trata de la herencia que D. Antonio Crespo y Neve, Teniente de la Compañía de Dragones, ha dejado a su madre y heredera Dña. Teresa de Neve.

Núms. 185-186.

120

1787, mayo, 12, Aranjuez.

Carpetilla relativa al expediente en que se aprueba la concesión de un permiso a favor de Maximiliano Maxent, para acompañar a su hermana la Condesa viuda de Gálvez en su viaje a Méjico y España.

1 doc., núm. 187.

121

1787, junio, 1, Nueva Orleáns.
1788, febrero, 26, La Habana.

Expediente: se suprime la Compañía de Cazadores de Luisiana, de la cual 22 individuos han pasado al 3.º Batallón del Regimiento Fijo.

4 docs., núms. 188-192.

122

1787, junio, 2, Pensacola.
1788, marzo, 7, Nueva Orleáns.

Expediente: concesión del sueldo de 60 pesos mensuales para la Segunda Ayudantía de la plaza de Pensacola, y solicitud de D. José Noriega, de ascenso a la Primera Ayudantía de dicha plaza.

5 docs., núms. 193-198.

123

1787, junio, 6, Nueva Orleáns.
1788, junio, 15, Nueva Orleáns.

Expediente: relativo a la concesión de retiro para D. Antonio Martínez, Sargento del Batallón de Milicias de Luisiana.

5 docs., núms. 199-204.

124

1787, junio, 23, San Agustín de la Florida.
1787, diciembre, 12, Madrid.

Expediente: relativo al proceso seguido contra Antonio Berje, Sargento de segunda clase del Regimiento de Infantería de Hibernia, acusado de dar muerte al soldado del mismo cuerpo Mathias Bernad.

2 docs., núms. 205-207.

125

1787, junio, 30, Nueva Orleáns.
1788, mayo, 15, Nueva Orleáns.

Expediente: concesión de premios a los siguientes individuos del Batallón de Milicias de Nueva Orleáns:
Juan Bautista Adán, Tambor.
Agustín Guinniny, Sargento 1.º
Juan Regis, Cabo 1.º
Juan Bautista Masa, Cabo 1.º

7 docs., núms. 208-215.

126

1787, junio, 30, Nueva Orleáns.
1788, mayo, 15, Nueva Orleáns.

Expediente: concesión de Cédulas de premios para individuos del Regimiento de Infantería de Luisiana:

Francisco Lavega, Soldado.
Pedro Rebollo, Cabo 1.º
Francisco Clemente, Soldado.
Jaime Alcocer, Soldado.
Domingo Rosales, Soldado.
Inocente Sarraña, Soldado.
Andrés Busy, Soldado.
Thomas Serrano, Soldado.
Daniel Aplubey, Soldado.

7 docs., núms. 216-223.

127

1787, junio, 30, Nueva Orleáns.
1788, junio, 15, Nueva Orleáns.

Expediente: concesión de retiro e invalidez para los siguientes individuos del Regimiento Fijo de Luisiana:
Alonso Segovia, Sargento 2.º
Martín Serrano, Soldado.
Juan Simón, Soldado.
Manuel Fernández, Soldado.
Mariano Sierra, Soldado.
Francisco Aparicio, Soldado.
Pablo Colar, Soldado.
Francisco López, Sargento 2.º
Mateo Macías, Sargento 2.º
Sebastián Molina, Cabo 1.º
Pedro López, Soldado.
Gregorio Oxer, Sargento 1.º
Luis Portillo, Soldado.
Ángel Pérez, Soldado.
Josef de Dios, Soldado.

15 docs., núms. 224-240.

128

1787, julio, 16, Nueva Orleáns.
1788, abril, 30, Aranjuez.

Expediente: aprobación real a la propuesta de retechar el cuartel del Regimiento Fijo de Luisiana.

5 docs., núms. 241-245.

129

1787, julio, 30, San Ildefonso.

Carpetilla dirigida al Gobernador de Luisiana, comunicándole que el Rey ha concedido a D. Enrique White, Sargento Mayor del Regimiento de Infantería de Luisiana, licencia para pasar a Irlanda.

Núm. 246.

130

1787, julio, 31, Nueva Orleáns.
1788, mayo, 15, Nueva Orleáns.

Expediente: sobre concesión de premios a dos individuos del Piquete de Dragones de Luisiana:
Antonio Ríos.
Ignacio Ballesuyas.

5 docs., núms. 247-252.

131

1787, agosto, 10, San Ildefonso.

Carpetilla dirigida al Capitán General de Luisiana. Recomendación a favor de D. José María Cruzat, para la Subtenencia de Bandera del Regimiento Fijo de Luisiana.

Núm. 253.

132

1787, septiembre, 6, San Ildefonso.

Carpetilla dirigida al Gobernador de Luisiana, comunicándole la concesión de prórroga de la licencia concedida para el restablecimiento de su salud al Capitán retirado del Regimiento Fijo de Infantería de Luisiana, D. Esteban de Vaugine.

Núm. 254.

133

1787, septiembre, 17, Pensacola.
1788, mayo, 27, Aranjuez.

Expediente: aprobación del presupuesto para reparar los daños ocasionados por un temporal en el Fuerte de Pensacola.

4 docs., núms. 255-258.

134

1787, octubre, 1, Nueva Orleáns.

Esteban Miró, Gobernador de Luisiana, al Ministro de Indias. Envía instancia de D. José Willaume (sic), Teniente del Tercer Batallón de Infantería Fijo de Luisiana, solicitando «la antigüedad que obtenía en el Regimiento de Flandes» (Pensacola, 1, septiembre, 1787). Denegada la solicitud (13, febrero, 1788).

2 docs., núms. 259-261.

135

1787, octubre, 8, Nueva Orleáns.
1788, agosto, 26, La Habana.

Expediente: el Rey ha concedido a D. Pedro Fabrot, Capitán del Regimiento Fijo de Luisiana, la licencia solicitada para pasar a París.

4 docs., núms. 262-266.

136

1787, octubre, 11, San Lorenzo del Escorial.
1788, abril, 16, s. l.

Dos carpetillas dirigidas al Gobernador de Luisiana, que tratan de los pagos a Hacienda del Regimiento Fijo de Luisiana, por la confección de una serie de uniformes para la tropa.

Núms. 267-268.

137

1787, octubre, 20, Nueva Orleáns.
1788, mayo, 5, Aranjuez.

Expediente: se niega la licencia para venir a España, al Coronel D. Gilberto Maxent, Comandante de Milicias de Luisiana.

3 docs., núms. 269-273.

138

1787, octubre, 30, La Habana.

D. Manuel Aldana, Capitán de Infantería y Ayudante de la Plaza de Florida, remite carta a S. M. solicitando la Comandancia de Atares o el Gobierno de Puerto Príncipe (Cuba). Denegada la solicitud.

2 docs., núms. 274-275.

139

1787, noviembre, 9, Cádiz.
1788, mayo, 3, Nueva Orleáns.

Expediente: sobre concesión de sueldo a D. Basilio Arredondo, a causa de la enfermedad que padece.

11 docs., núms. 276-288.

140

1781, julio, 19, Nueva Orleáns.
1788, diciembre, 31, Nueva Orleáns.

Expediente: sobre la concesión de un sueldo a D. Nicolás Delasize, Ayudante Mayor de Milicias de Luisiana. Sueldo que no llegó a hacerse efectivo por fallecimiento del interesado.

5 docs., núms. 289-294.

141

1787, diciembre, 6, Madrid.

Carpetilla: nombramiento de Subteniente del 3.º nuevo Batallón del Regimiento Fijo de La Habana, a favor de D. Vicente Sierra.

Núm. 295.

142

1787, diciembre, 31, Nueva Orleáns.
1788, junio, 20, Aranjuez.

Expediente: concesión de cédulas de premios a los siguientes individuos del Regimiento de Infantería de Luisiana:

Manuel González., Cabo 1.º; Francisco Gutiérrez; Josef Domínguez, Sargento 2.º; Manuel de los Reyes, Sargento 2.º; Pedro Navarro; Gregorio Gómez; Juan Aceituno; Gregorio Villalta; Manuel Fernández, Sargento 2.º; Vicente Chelva; Manuel Marcos; Bernardo Martín; Matías Hernández, Sargento 1.º; Josef Cayado, Sargento 1.º; Francisco Pérez, Sargento 1.º; Nicolás Gerard; Antonio Martínez; Manuel Fernández, Sargento 1.º; Juan Carballo; Josef Vizguerra; Vicente Royo; Guillermo Yancer; Luis Portillo.

8 docs., núms. 296-305.

143

1787, diciembre, 31, Nueva Orleáns.
1788, diciembre, 31, Nueva Orleáns.

Expediente: concesión de retiros e inválidos a los siguientes individuos del Regimiento Fijo de Luisiana: Pedro de los Santos; Diego Vives; José Buchar; José Antonio; Carlos Coten; Jacobo Brand; José Bartomayer; Francisco Caseriny; Alfonso Gómez; Pedro Díaz; Juan Pérez; Juan Sánchez; Juan Lang.

11 docs., núms. 306-318.

144

1788, enero, 20, Toledo.
1788, febrero, 12, s. l.

Solicitud de D. Eugenio del Almo, para que se le conceda a su hijo Tomás del Almo, soldado en el Regimiento de Infantería de Luisiana, la correspondiente licencia.

Acompaña: resumen del documento anterior y una nota con la resolución.

1 doc., núms. 319-320.

145

1788, febrero, 13, Nueva Orleáns.
1788, septiembre, 8, San Ildefonso.

Expediente: se concede licencia por un año a D. Manuel de Lanzós, Capitán del Regimiento de Luisiana, para venir a Galicia.

3 docs., núms. 321-324.

146

1788, febrero, 20, Nueva Orleáns.
1788, junio, 18, Nueva Orleáns.

Expediente: relativo al fallecimiento de D. Basilio Arredondo, Subteniente del Regimiento Fijo de Luisiana. Se propone, para sustituirle en dicho cargo, al Cadete D. Agustín Macarty.

5 docs., núms. 325-329.

147

1788, febrero, 25, El Pardo.

Carpetilla dirigida al Intendente de Luisiana, comunicándole se ha dado orden al Intendente de La Habana, para que se le abonen a D. Francisco Montero, artillero de las Compañías de la Dotación de Luisiana, «sus inválidos».

Núm. 330.

148

1788, marzo, 8, Barcelona.

Manuela de Juan y Gallego, al Sr. D. Juan Antonio de Valdés: remite un documento en el que D. Vicente Folch, Capitán del Regimiento Fijo de Luisiana y Gobernador interino de La Mobila, solicita se le conceda el Gobierno en propiedad de dicha plaza (La Mobila, 20, noviembre, 1787).

Nota: se comunica que dicho Gobierno está suprimido, y se aprueba que el Comandante de la Guarnición pase a serlo también de la Plaza.

   2 docs., núms. 331-332.

149

1788, marzo, 1, Barcelona.
1788, septiembre, 8, San Ildefonso.

Expediente: en el que se concede licencia para pasar a Puerto Príncipe por asuntos de familia, a D. Josef Deville Degoutin (Luis Deville de Buten) (sic), Teniente del Regimiento de Infantería Fijo de Luisiana.

   3 docs., núms. 333-336.

150

1788, abril, 26, Méjico.

D. Manuel Antonio Flórez, Virrey de Nueva España, a D. Antonio Valdés: remite testimonio del expediente formado sobre el Presidio de Pensacola.

Adjunta:
Noticias de Archivo relativas al Presidio de Pensacola entre los años 1719 y 1763. Descripción histórica y geográfica de los motivos que hubo para poblar y fortificar el establecimiento de Pensacola, su toma y reconquista por los franceses y españoles, cesión a los ingleses y última recuperación por las armas españolas, bajo el mando del Conde de Gálvez.

   2 docs., núms. 337-339.

151

1788, mayo, 12, Cádiz.
1788, diciembre, 31, Nueva Orleáns.

Expediente: relativo al pago de un crédito contraído por D. José Micaely, Capitán del Regimiento de Luisiana, contra D. Juan Antonio Goyena.

4 docs., núms. 340-343.

152

1788, mayo, 1, Nueva Orleáns.
1788, septiembre, 8, San Ildefonso.

Expediente: concesión del permiso para pasar a Barcelona, a D. Narciso Alba, Capitán de Milicias de Luisiana y comerciante. Adjunta un informe personal.

3 docs., núms. 344-347.

153

1788, mayo, 17, Aranjuez.

Carpetilla dirigida al Capitán General de Luisiana ordenándole el descuento de cierta cantidad a D. Alejandro Bouillers, Capitán del Regimiento Fijo de Luisiana.

Núm. 348.

154

1788, junio, 4, Madrid.

Carpetilla relativa a la solicitud de ascenso al grado de Coronel de D. Juan Francisco Terrazas, Teniente Coronel del provincial de Logroño.

Núm. 349.

155

1788, abril, 22, Aranjuez.

Carpetilla dirigida al Conde de Lacy remitiéndole la cédula de inválido para D. Bernavé Lenes, Sargento de Artillería en el Departamento de Luisiana.

Núm. 350.

156

1788, agosto, 5, San Ildefonso.

Carpetilla dirigida a D. Juan de St. Saudens remitiéndole la instancia de solicitud de premio de D. Josef Romen, Sargento de 2.ª clase del Regimiento de Infantería de Luisiana.

Núm. 351.

157

1788, agosto, 19, San Ildefonso.

Carpetilla dirigida al Gobernador de Luisiana ordenándole verificar que D. Gilberto Maxent, Coronel, pague la deuda contraída con Carlos Eduardo Levis.

Núm. 352.

158

1788, septiembre, 27, San Ildefonso.

Carpetilla dirigida a D. Juan St. Saudens sobre la concesión de un premio al Sargento de Bandera D. Pedro Rola.

Núm. 353.

159

1788, octubre, 8, San Lorenzo del Escorial.

Carpetilla dirigida al Gobernador de La Habana comunicándole que S. M. no ha concedido la petición hecha por D. Josef Michaely de conmutarle la Compañía del Regimiento de Luisiana con otra del Regimiento de la Corona.

Núm. 354.

160

S. f., s. l.

Nota: avisando de que la minuta de la cédula de premios concedidos a Cristóbal Cortés y Gregorio Villant, soldados de la Compañía del Real Cuerpo de Artillería de Luisiana, se halla, junto a otros papeles, en Tropas de La Habana.

Núm. 355.

161

S. f., s. l.

Nota: aviso de que el extracto que trata de la concesión de ascensos a varios individuos y a los de milicias, que se distinguieron en la conquista del Mississippi y sus incidencias, se halla colocado en Provisiones de Luisiana, año 1788.

Núm. 356.

162

1788, diciembre, 23, Madrid.

Carpetilla dirigida al Intendente de La Habana, aprobándole los abonos de premios a D. Bruno Timoteo Guisarola y Pablo Castello, soldados del Regimiento de Infantería Fijo de Luisiana.

Núm. 357.

163

1789, abril, 1, La Habana.

D. José de Ezpeleta, Capitán General de Luisiana, a Antonio Valdés.

Remite:
— Solicitud del Comandante P. Marigny, para lograr se le conceda Hábito en alguna orden militar. Al margen recomendación de D. Esteban Miró (Nueva Orleáns, 4, enero, 1789.

2 docs., núms. 358-359.

LEGAJO 6.915

AÑOS 1789-1790

FECHOS CONCERNIENTES A FLORIDA Y LUISIANA

164

1789, agosto, 12, San Ildefonso.
1790, agosto, 16, Madrid.

Expediente: Gilberto y Manuel Andry, hijos de D. Luis Andry, Capitán de Infantería que murió a manos de los indios en la Bahía de San Bernardo, solicitan el cargo de Capitán para D. Gilberto, Teniente del Regimiento de Infantería Fijo de Luisiana, y el cargo de Teniente para D. Manuel Andry, que les son denegados.

5 docs., núms. 1-7.

165

1782, marzo, 1, Santander.
1790, julio, 26, Zaragoza.

Expediente: concesión de permuta entre D. Alejandro Bouillers. Teniente Coronel graduado, Capitán del Regimiento de Infantería de Flandes y D. José Varela, Capitán del Regimiento de Infantería de Luisiana para pasar el primero a Luisiana y el segundo a España.

Concesión del pago del viaje desde América a España a D. José Varela y desde La Habana a Luisiana a D. A. Bouillers.

Denegadas las solicitudes de D. A. Bouillers de: a) pasar a México; b) el grado de Coronel, el gobierno de Natchez o el cargo de 2.º Comandante de esta provincia; y c) la comandancia de La Mobila, o de la Isla Noea o Noër (ambas sic). Se le concede el mando de una expedición destinada a defender el puesto de Natchez de las amenazas americanas. Por último solicita el grado de Teniente Coronel, que le es denegado.

55 docs., núms. 8-69.

166

1787, enero, 11, Nueva Orleáns.
1791, enero, 29, La Habana.

Expediente: concesión de licencias para pasar a México y España, a D. Maximiliano Maxent, Capitán del Regimiento Fijo de Infantería de Luisiana, acompañando a su hermana, la Condesa Viuda de Gálvez. Solicitud de dos prórrogas, la 1.ª concedida, la 2.ª denegada, para permanecer en España. Concedida la solicitud de abono de sueldos. Petición del grado de Teniente Coronel y la Cruz de Carlos III, a lo cual se responde que «se le concederá más adelante». Adjunta como méritos: haber dirigido las tropas de La Habana a Nueva Orleáns y haber participado con ellas en la toma de Pensacola, así como haber sido Comandante de Galveztown. Se le concede el grado de Capitán de una de «las Compañías volantes de la colonia de Nuevo Santander, en el reino de Nueva España».

13 docs., núms. ·70-87.

167

1878, marzo, 31, Sevilla.
1790, marzo, 30, Cádiz.

Expediente: sobre el testamento de D. Antonio Crespo y Neve, Teniente de la Compañía de Dragones de Nueva Orleáns, a favor de su madre, Dña. Teresa de Neve.

12 docs., núms. 88-100.

168

1787, mayo, 25, Aranjuez.
1789, noviembre, 16, San Lorenzo del Escorial.

Orden real sobre concesión de licencia por un año, para pasar a Francia, a D. Pedro Marigny, Teniente del Ejército. Carpetilla dirigida al Gobernador de Luisiana, con la negativa a la solicitud de prórroga por un año, a dicha licencia.

1 doc., núms. 101-102.

169

1788, mayo, 30, San Sebastián.
1789, abril, 20, Nueva Orleáns.

Expediente: concesión de premios a José Romen y Pedro Rola, sargentos de 1.ª y 2.ª clase, respectivamente, del Regimiento de Infantería de Luisiana.

13 docs., núms. 103-116.

170

1788, junio, 30, Nueva Orleáns.
1789, diciembre, 31, Nueva Orleáns.

Espediente: concesión de premios e inválidos a los siguientes individuos del Regimiento de Infantería Fijo de Luisiana:

Pedro García Ruiz; Miguel Álvarez; Juan García, Cabo 1.º; Manuel Fernández, Cabo 1.º; Juan Simón; Antonio San Martín; Francisco López, Sargento 2.º; Mateo Macías, Sargento 2.º; Gregorio Oxer, Sargento 1.º; Miguel Solivellas; Pedro Torrico; Marcos Goldaraz; Francisco Clemente; Juan Pujoly; Juan Bautista Gambiny, Cabo 1.º; Alfonso Gómez; Fernando Álvarez, Sargento 2.º; Diego Romero; Juan Enrique Ric; Jacinto Rodríguez; Tomás Abrán, Tambor; Felipe Meneses, Cabo 2.º; Juan Fernández; Manuel Figuereira; Andrés Negro; Francisco Ronda, Cabo 1.º; Jaime Olivares; Félix Antoñety; Ángel González; Vicente Contreras; Manuel Núñez; Diego Fernández, Sargento 1.º; Antonio Duarte, Sargento 2.º; Josef Gómez, Cabo 1.º; Pedro Doncel, Sargento 2.º; Antonio Clarisen; Am-

brosio Cabaña; Enrique Neis; Francisco Cacerini; Francisco Valles-
teros; Pablo Domínguez; Juan Vilches; Juan Nieto; Leonardo Fuentes; Andrés González; Juan Medina; Josef Ruiz; Jayme Urgel; Leonardo Grozo; Joaquín Valladas, Sargento; Manuel González, Cabo
1.°; Josef Fonbona; Martín de Dios; Joaquín Talasac; Bautista Silvestre; José Duque, Sargento 2.° y Francisco Vilanoba.

38 docs., núms. 117-158.

171

1788, agosto, 3, Pensacola.
1790, agosto, 4, La Habana.

Expediente: trata del proceso criminal seguido contra D. Juan
de Pumes, y D. Juan Escobar, soldados del Regimiento de Infantería de Luisiana, acusados de dar muerte al soldado D. Esteban Pe-
genaute. Condena de 6 años de trabajos en presidio.

6 docs., núms. 159-165.

172

1788, octubre, 8, Nueva Orleáns.
1789, marzo, 24, Madrid.

Expediente: S. M. ha resuelto que no se descuenten de su paga
a D. Manuel de Lanzós, Capitán del Regimiento Fijo de Luisiana,
los quinientos cincuenta pesos pertenecientes al vestuario del Regimiento. Cantidad que le fue robada en el incendio de Nueva
Orleáns.

3 docs., núms. 166-169.

173

1788, octubre, 20, Nueva Orleáns.
1789, febrero, 14, Madrid.

Esteban Miró, Gobernador e Intendente de Luisiana, a Antonio
Valdés, comunicándole la muerte del Teniente del Regimiento Fijo,
D. Lorenzo Rigolene, en Natchez. Contestación con acuse de recibo.

2 docs., núms. 170-171.

174

1788, diciembre, 20, Nueva Orleáns.
1789, junio, 3, Aranjuez.

Expediente: concesión de licencia por 6 meses para pasar a su patria, los EE. UU., a D. Esteban Minor, Ayudante del Fuerte de Natchez (Luisiana), que se encontró en la toma de los Fuertes ingleses bajo el mando del Conde de Gálvez.

3 docs., núms. 172-175.

175

1789, enero, 1, Irún.
1789, mayo, 25, Nueva Orleáns.

Expediente: concesión de premio a Miguel Sánchez, soldado del Regimiento Fijo de Luisiana, por sus años de servicios.

5 docs., núms. 176-181.

176

1789, enero, 24, Sevilla.
1789, marzo, 13, Palacio.

Expediente: D. Gerónimo Girón, Mariscal de Campo, solicita el ascenso al grado de Teniente General, presentando como méritos su actuación en la toma de los Fuertes ingleses, el «acantonamiento» de Guarico y la expedición de Jamaica. Denegado.

2 docs., núms. 182-186.

177

1789, febrero, 8, Pensacola.
1790, diciembre, 30, La Habana.

Expediente: denegada la petición de ascenso al grado de Capitán de Infantería, a D. José Noriega, Teniente de Infantería y único Ayudante de Pensacola, el cual alega como méritos su participación en la toma de los Fuertes ingleses y en la reparación de los Fuertes de San Miguel y San Carlos.

5 docs., núms. 187-192.

178

1789, febrero, 18, s. l.

Carpetilla: «pasaporte de embarco para D. Antonio Valdespino, provisto guarda almacén de víveres y fortificación de Pensacola para embarcarse con su mujer y un criado» (sic).

Núm. 193.

179

1788, octubre, 10, Nueva Orleáns.
1789, marzo, 4, Madrid.

Expediente: concesión de la gracia de inválido, a D. Manuel Rodríguez, Artillero de la Compañía de Luisiana.

5 docs., núms. 94-199.

180

1789, abril, 15, La Habana.
1790, febrero, 20, Madrid.

Expediente: denegada la petición de cambio de destino desde Luisiana a La Habana, a D. Tomás de Acosta, Capitán del Regimiento de Infantería de Luisiana, quien aduce haber participado en las expediciones de Nueva Orleáns y conquistas de Natchez, Manchak, y Baton Rouge.

3 docs., núms. 201-204.

181

1789, mayo, 7, Nueva Orleáns.
1789, agosto, 17, Madrid.

Expediente: concesión de licencia, para pasar a España, a D. Joaquín Osorno, Teniente del Regimiento de Infantería de Luisiana.

3 docs., núms. 205-208.

182

1789, mayo, 18, Nueva Orleáns.
1790, diciembre, 1, La Habana.

Expediente: concesión de licencia, para pasar a Francia, a D. Pablo Luis Le Blanc, Capitán graduado y Ayudante 1.º de Luisiana y a su hijo D. José Le Blanc, Teniente del Regimiento de esta provincia.

6 docs., núms. 209-215.

183

1789, mayo, 25, Nueva Orleáns.
1789, septiembre, 6, San Ildefonso.

Expediente: concesión de indulto de ciertos pagos, al Teniente Coronel Barón de Brounner, Comandante de las Milicias de la Costa de Alemanes (sic). Denegadas sus solicitudes del grado de Coronel, la «tenencia del Rey» (sic) de Nueva Orleáns o, el Gobierno de Pensacola. Alega como méritos, la participación junto al Conde de Gálvez, en la conquista de los puestos del Mississippi, La Mobila y Pensacola, y su actuación como portador de las capitulaciones de Baton Rouge y La Mobila.

4 docs., núms. 216-220.

184

1789, mayo, 26, Nueva Orleáns.
1789, agosto, 24, Madrid.

Expediente: solicitud de ascenso al grado de Brigadier, del Coronel del Regimiento de Infantería de Luisiana, D. Pedro Piernas, quien expone haber sido Comandante de los Fuertes de Natchez, y San Carlos de Missouri, Teniente de Gobernador de los establecimientos Ylioneses (sic), haber tenido el mando de Nueva Orleáns y el cargo de Gobernador Interino de Luisiana durante las expediciones contra Baton Rouge, La Mobila y Pensacola (1779-1781), y el de Pensacola, temporalmente.

3 docs., núms. 221-224.

185

1789, junio, 2, Nueva Orleáns.
1789, septiembre, 15, Madrid.

Expediente: concesión del sueldo de Capitán, al Teniente Coronel Alejandro Declouet, Comandante del distrito de Atacapas de Luisiana. Denegada la solicitud del grado de Coronel. Alega como méritos su participación en la toma de Baton Rouge y su servicio en el ejército francés, antes de pasar al servicio de España.

3 docs., núms. 225-228.

186

1789, mayo, 1, Nueva Orleáns.
1789, junio, 12, Nueva Orleáns.

El Gobernador de Luisiana, Esteban Miró, envía Estado del Regimiento Fijo de esta provincia. Notifica la falta de reclutas y la necesidad de ellos debido al aumento de población de la provincia, lo cual exige nuevos destacamentos para su protección.

2 docs., núms. 229-231.

187

1789, julio, 11, Madrid.

Carpetilla dirigida al Capitán General de Luisiana: se le notifica el ascenso al grado de Teniente Coronel y reintegro de cierta cantidad por parte de la Real Hacienda al Capitán de Infantería D. Esteban Baugine.

Núm. 232.

188

1789, julio, 17, Madrid.

Carpetilla dirigida al Capitán General de Luisiana «aprovándole el que destinase en la secretaría de aquella capitanía General a D. Josef Micaeli, Capitán del Regimiento Fijo de Luisiana».

Núm. 233.

189

1789, julio, 17, Madrid.
1789, noviembre, 25, Nueva Orleáns.

Esteban Miró responde a Antonio Valdés acerca de la conveniencia de unir los 3 batallones del Regimiento Fijo de Luisiana con los de México y Cuba.

1 doc., núms. 234-235.

190

1789, julio, 8, Palacio.
1789, julio, 21, Madrid.

D. Tomás Funnó, vecino de San Agustín de la Florida, solicita el pago de ciertas sumas de dinero que le adeudan D. Diego Curtis, Guillermo Irwin, Nicolás Grenier, y Tomás Dringold, todos ellos del Regimiento de Hibernia.

2 docs., núms. 236-237.

191

1789, agosto, 5, s. l.

Carpetilla dirigida al Intendente del Ejército de La Habana que dice «que los cadetes correspondientes al haber y subministro de las tropas destacadas en la plaza de San Agustín de la Florida deben remitir los cuerpos de su cuenta y riesgo».

Núm. 238.

192

1789, agosto, 11, Palacio.

Despacho dirigido a D. Salvador de Oteiza, remitiéndole el proceso formado en Nueva Orleáns, contra Anastasio de Soto, Soldado del Regimiento Fijo de Luisiana, acusado de haber herido a D. José de Torres, para que dé su opinión acerca del asunto.

1 doc., núm. 239.

193

1789, septiembre, 10, Nueva Orleáns.
1789, noviembre, 6, La Habana.

Expediente: denegada la petición de licencia para pasar a Francia, a D. José Labie, Cirujano del Regimiento de Infantería de Luisiana.

2 docs., núms. 240-242.

194

1789, septiembre, 12, Nueva Orleáns.
1790, enero, 14, Madrid.

Expediente: supresión del cargo de Teniente Gobernador y Capitán General «por lo que respecta al ramo de indios». Cargo creado en 1782 para D. Gilberto Maxent, quien ahora se retira dejando vacante este cargo.

2 docs., núms. 243-245.

195

1789, septiembre, 14, Madrid.
1789, noviembre, 13, San Lorenzo del Escorial.

Expediente: concesión del paso al cuerpo de Reales Guardias Walonas, en calidad de Cadete, a D. Celestino Honorato St. (sic) Maxent, Capitán de las Milicias de Infantería, e hijo del Coronel D. Gilberto Maxent.

4 docs., núms. 246-250.

196

1789, octubre, 7, La Habana.
1790, agosto, 6, La Habana.

Expediente: concesión de retiro al Reino de Nueva España, con el grado de Capitán, a D. José Antúnez. Se desconoce el destino de los Subtenientes: Gerónimo Balanza, e Ignacio de Acosta, así como del cirujano D. Tomás Canales. «Luz de embarco para La Habana, para I. Acosta».

9 docs., núms. 251-260.

197

1789, octubre, 28, San Lorenzo del Escorial.

Carpetilla dirigida al Gobernador de Almadén, «que se previene al Presidente de la contratación ponga a su disposición los 50 pesos, 6 reales y 27 maravedíes que ha conducido a Cádiz de las cajas de La Habana el navío de guerra «San Pedro de Alcántara», para reintegrarlos a los de aquellas minas que lo ha suplido a Isabel Alvira, viuda de Julián López».

Núm. 261.

198

1789, octubre, 28, San Lorenzo del Escorial.

José Grande, vecino de Ávila, solicita clemencia de S. M. para su hijo, Agustín Grande, quien se halla como Cabo 2.º del Regimiento Fijo de Luisiana, cumpliendo allí condena de ocho años por habérsele encontrado, junto a otros, cazando en los montes del Guadarrama. Denegada la petición de absolución para los 3 años que le faltan por cumplir.

1 doc., núms. 262-263.

199

1789, marzo, 1, Elche.
1790, agosto, 11, Arahal.

Expediente: «sobre la provisión de Teniente del Regimiento de Infantería de Luisiana a D. Antonio de Bassot, con lo que dio a esto motivo, varias instancias del interesado para seguir sirviendo en su anterior Regimiento de Soria; órdenes expedidas para el abono de sus sueldos y demás incidencias del asunto».

35 docs., núms. 264-306.

200

1790, febrero, 23, Madrid.

Carpetilla dirigida al Capitán General de Luisiana por la que se previene se paguen ciento veinte pesos mensuales de sueldo a los Comandantes del 3.º Batallón del Regimiento de Cuba, igual que se premió al Regimiento de Luisiana.

Núm. 307.

201

1790, marzo, 2, Nueva Orleáns.
1790, abril, 30, Nueva Orleáns.

D. Andrés Almonaster y Roxas, Alférez real y Alcalde ordinario de Nueva Orleáns, en atención a los desembolsos hechos para la construcción de una Iglesia Parroquial y un Hospital de Caridad en dicha ciudad, solicita el empleo de Coronel de milicias en esta plaza. Dicho empleo ha sido suprimido por innecesario al retirarse D. Gilberto St. Maxent.

3 docs., núms. 308-310.

202

1790, marzo, 6, Nueva Orleáns.
1790, diciembre, 20, Nueva Orleáns.

Expediente: solicitud del empleo de Capellán del 2.º Batallón del Regimiento Fijo de Luisiana hecha por D. José M.ª Valdés, religioso franciscano.

6 docs., núms. 311-316.

203

1790, marzo, 10, Nueva Orleáns.

Esteban Miró a Antonio Valdés. Acusa recibo de su carta en la que se le comunica una real orden dirigida al Virrey de Nueva

España, para que pague a la Contratación de Cádiz los fusiles y bayonetas destinados al Regimiento Fijo.

1 doc., núm. 317.

204

1790, marzo, 14, Nueva Orleáns.
1790, agosto, 4, Madrid.

Expediente: concesión de licencia para pasar a Francia a D. Nicolás de Verbois, Teniente de Ejército y Comandante de la Costa de Iberville en Luisiana.

3 docs., núms. 318-322.

205

1790, junio, 10, Aranjuez.
1790, junio, 19, Aranjuez.

Expediente: concesión de licencia a D. Ángel Babini de León, Caballero dc la Compañía de los Nobles de Nueva Orleáns, para regresar a dicha ciudad.

4 docs., núms. 324-327.

206

1790, julio, 19, La Habana.
1790, diciembre, 16, Madrid.

Lord Eduardo Fitzgerald, aristócrata inglés que decidió recorrer a pie la distancia entre Canadá y México, ha sido embarcado directamente desde La Mobila a Londres.

4 docs., núms. 328-332.

207

1790, agosto, 7, La Habana.
1790, septiembre, 24, La Habana.

1.º Luis de las Casas al Conde del Campo de Alange, Ministro de Guerra. Dice que continuará, como su antecesor A. Valdés, la correspondencia relativa a los indios de Luisiana, su comercio, las desavenencias con los Estados Americanos y las transmigraciones de aquellas provincias.

2.º Luis de las Casas al Conde del Campo de Alange. Comunica la llegada a Provincias de tres indios de Florida y un intérprete americano con el proyecto de entregar la plaza de San Agustín a los ingleses, plaza que los indios se ofrecieron a tomar. Miró piensa que esta oferta no debe temerse, ya que uno de los jefes indios «el Perrorrabioso» acaba de presentar su adhesión a S. M. Católica y a los artículos del Congreso celebrado en Pensacola. Asimismo tampoco desconfía del viaje de Mc Gillibray con dieciséis jefes indios a Nueva York, cuya finalidad sería arreglar los límites con los americanos de los territorios del Río Oconi (sic).

2 docs., núms. 333-334.

208

1790, septiembre, 21, Cádiz.
1790, septiembre, 30, San Lorenzo del Escorial.

Expediente: Francisco Caso y Luengo, Teniente del Regimiento de Infantería, solicita se le abonen determinados sueldos atrasados.

6 docs., núms. 335-341.

209

1790, octubre, 12, Nueva Orleáns.

Esteban Miró, Gobernador de Luisiana, al Conde del Campo de Alange, Secretario de Estado de Guerra. Expone sus méritos y solicita «ser elegido uno de los dos oficiales —que S. M. nombrará— en que puso baxo el ministerio de V. E. el de Guerra de Indios». Propone para ocupar su cargo de Gobernador al Coronel D. Manuel Gayoso de Lemos.

2 docs., núms. 343-344.

210

1790, noviembre, 26, San Lorenzo del Escorial.

Carpetilla, «Miguel Gas, desertor del Regimiento de Luisiana perdonado por el Rey y presentado por el Garron» (sic).

Núm. 345.

211

1790, diciembre, 16, Nueva Orleáns.
1790, diciembre, 21, Nueva Orleáns.

Fray Simón de Fuentes solicita se le reponga en su cargo de Capellán del 1.º Batallón del Regimiento de Infantería de Luisiana.

3 docs., núms. 347-349.

LEGAJO 6.916

AÑOS 1791-1792

FECHOS CONCERNIENTES A FLORIDA Y LUISIANA

212

1784, noviembre, 4, Méjico.
1790, junio, 19, Santa Fe.

Expediente: solicitud del cargo de Oficial Real u otro en la Real Hacienda hecha por D. Josef Micaely, Ayudante del Regimiento Provincial de Méjico. Asimismo pide se le conceda la Agregación a su antiguo Regimiento de la Corona de Méjico.

17 docs., núms. 1-22.

213

1787, enero, 11, Nueva Orleáns.
1791, julio, 7, Madrid.

Expediente: concesión del sueldo, correspondiente al tiempo de licencia en Burdeos, a Pedro Marigny, Teniente de Ejército y Comandante del establecimiento de San Bernardo, quien participó en las campañas del Mississippi y Florida Occidental.

10 docs., núms. 23-36.

214

1787, enero, 17, Nueva Orleáns.
1791, julio, 7, Madrid.

Expediente: concesión de sueldo, correspondiente al tiempo de licencia para pasar a Irlanda, a D. Enrique White, Sargento Mayor del Regimiento de Luisiana.

7 docs., núms. 37-46.

215

1788, junio, 1, Nueva Esperanza, Río de Santa María.
1791, mayo, 3, Aranjuez.

Expediente: concesión de una pensión a Doña Margarita O'Neill, viuda de D. Enrique O'Neill, que fue Comisionado en el río de Santa María en la frontera de San Agustín de la Florida,

5 docs., núms. 47-53.

216

1789, diciembre, 14, Nueva Orleáns.
1792, abril, 27, La Habana.

Expediente: D. Manuel y D. Gilberto Andry solicitan, respectivamente, ascensos a Teniente y Capitán del Regimiento Fijo de Luisiana. El segundo participó en la «sorpresa» (sic) del Fuerte Brit, en Manchak, Baton Rouge y La Mobila.

4 docs., núms. 54-57.

217

1790, junio, 1, Nuevo Madrid.
1792, agosto, 8, San Ildefonso.

Expediente: concesión de premios e inválidos a los siguientes individuos del Regimiento de Infantería de Luisiana:
Juan Peralta, Pedro Rebollo, Valentín Rincón, Manuel de Puerta, Manuel Martínez, Julián Martínez, Miguel Velázquez, Antonio

Aguado, Isidro Ortega, Leopoldo Trafi, Bartolomé Raura, Jacinto López, Gabriel Orbaizeta, Pascual de Beruain, Sebastián Crespo, Juan Márquez, Javier Navarro, Jaime Castelví, Josef Aguado, Jaime Ricart, Pedro Ramis, Antonio Gómez, Antonio García, Juan Yagüe, Francisco García, Josef Orbe, Josef Díaz, Francisco Garrell, Josef Iturralde, Juan Gunfaus, Juan Badía, Josef Cañellas, Andrés Olcoz, Josef Benito, Antonio Maldonado, Bernardo Latralla, Francisco Exido, Agustín Cantero, Miguel Sánchez, Francisco Juan Briñolí, Francisco Gutiérrez, Marcos Goldáraz, Pedro García Berdejo, Josef García Aboy, Luis Álvarez y Julián Agustino.

57 docs., núms. 58-115.

218

1787, junio, 6, Nueva Orleáns.
1791, mayo, 2, La Habana.

Expediente: se deniega la solicitud del Gobierno e Intendencia de Luisiana hecha por el Brigadier D. Arturo O'Neill, Comandante de Pensacola, el cual participó en la expedición contra dicha plaza en 1780, mandó el Cuerpo de Cazadores de la misma y trabajó por la unidad de los indios asegurando la paz al Gobernador de Luisiana, Esteban Miró, en caso de ausencia o enfermedad.

11 docs., núms 116-128.

219

1790, junio, 30, Pensacola.
1791, mayo, 15, Aranjuez.

Expediente: solicitud de inválidos y retiros concedidos a:
Jenaro Santorum; Agustín Cantero y Juan Vilacha, cabos 1.º; José María Ochely; Pedro Gómez, Sargento 1.º. Pertenecientes al Regimiento de Luisiana.

9 docs., núms. 129-138.

220

1790, junio, 30, Pensacola.
1791, abril, 15, Aranjuez.

Expediente: concesión de premios para los siguientes individuos del Regimiento de Infantería de Luisiana.

Pedro Andrés, Pedro Jorge Mack, Julián Agustino, Juan Antonio Lorenzo, Pedro Iglesias, Pedro Sancho, Pedro Chueca, Juan Antonio Villar, Pedro Pérez, Francisco Briñoli, Luis Marcos, Francisco Reyes, Pedro Asensio, Antonio González, Manuel Barrios, Francisco Reyes, Pedro Cañón, Josef Medina, Pablo Aguado, Pascual de Torres, Josef Moll y Tomás Díez.

26 docs., núms. 139-165.

221

1791, julio, 31, Nueva Orleáns.
1791, agosto, 10, La Habana.

Expediente: petición de premios y retiros para D. Juan Rexis y D. Juan Domingo, cabos 1.º del Batallón de Milicias de Nueva Orleáns.

7 docs., núms. 166-173.

222

1790, septiembre, 13, Madrid.
1791, agosto, 16, La Habana.

Expediente: concesión de los sueldos del fallecido D. Juan García del Postigo, Subteniente del Regimiento Fijo de Luisiana, a su cuñado Marqués de Casa García del Postigo.

6 docs., núms 174-181.

223

1790, septiembre, 22, San Agustín de la Florida.
1793, noviembre, 5, La Habana.

El Capitán General de Luisiana, D. Luis de las Casas, remite al Marqués del Campo de Alange información dada por D. Juan Nepomuceno de Quesada, Gobernador de Florida, sobre la formación de tres Compañías de Infantería de Milicias Urbanas en San Agustín de la Florida compuestas por españoles, mahoneses e irlandeses. Aprobación de S. M. a dicha formación. Asimismo propone la formación de dos Compañías de Milicias Urbanas de Dragones compuestas por los habitantes de los ríos San Juan y Santa María bajo el mando del Capitán Ramón Monduy y del Coronel Carlos Howard cuyos fines serán defensivos.

8 docs., núms. 182-191.

224

1790, septiembre, 29, Granada.
1792, noviembre, 22, San Lorenzo del Escorial.

Expediente: D. Martín Navarro, Intendente que fue de Luisiana, es indultado por el Rey del destierro que sufría en Granada.

3 docs., núms. 192-194.

225

1790, octubre, 8 Nueva Orleáns.
1790, diciembre, 30, La Habana.

Expediente: solicitud de ascenso a Coroncl de D. Felipe Treviño, Teniente Coronel y Sargento Mayor del Regimiento Fijo de Luisiana, que participó, durante el sitio y rendición de Pensacola, en el ataque y toma de Fuerte Volado y en el ejército de operaciones de América en la última guerra destinado al servicio de los buques de guerra.

2 docs., núms. 195-196.

226

1790, noviembre, 1, Nueva Orleáns.
1791, mayo, 14, La Habana.

Expediente: solicitud de la Comandancia de Milicias de la 1.ª Costa de Alemanes hecha por D. Pedro Fabrot, Capitán del Regimiento de Infantería de Luisiana y por el Capitán D. Pedro Leblanc, Ayudante 1.º de la plaza de Nueva Orleáns. Alegan méritos.

4 docs., núms. 197-200.

227

1790, noviembre, 8, Nueva Orleáns.
1892, noviembre, 2, San Lorenzo del Escorial.

Expediente: denegadas las solicitudes de pensión y pago de viajes a Madrid de Dña. Camila Carbonera y Spínola, viuda del Teniente Coronel D. Juan Rodulfo Browner, Comandante de la Costa de Alemanes.

12 docs., núms. 201-215.

228

1790, noviembre, 19, Nueva Orleáns.
1791, julio, 12, Madrid.

Expediente: trata de un descubierto de la caja del Regimiento Fijo de Luisiana debido al fallecimiento del Teniente D. Francisco Bonet de Arcein a quien se le entregó cierta cantidad con obligación de reintegro si no era aprobado por S. M.

3 docs., núms. 216-219.

229

1790, diciembre, 24, Trinidad.
1791, agosto, 4, Madrid.

Expediente: denegada la solicitud de «merced de hábito» de la Orden de Calatrava hecha por D. Manuel de Entrena, Gobernador de Trinidad.

2 docs., núms. 220-223.

230

1790, diciembre, 31, Nueva Orleáns.
1791, julio, 20, Madrid.

Expediente: concesión de premios e inválidos a favor de los siguientes individuos del Regimiento de Infantería de Luisiana:

Juan Pujadas, Francisco Pérez, Miguel Sáez, Francisco Díez, Juan Pidou, Juan Romano, Diego Ortiz, Josef Benito, Pedro Navarro, Manuel Marcos, Juan Bautista de la Cruz, Josef Sancho, Lamberto Dumulen, Eduardo Castel, Bernardo Castel, Bernardo Córdoba, Josef Ricart, Juan Bruno, Carlos González, Pedro Berdejo, Carlos Martínez, Francisco Duime, Pedro Trujillo, Francisco Seckle, Domingo Alonso, Nicolás Gerard, Manuel Fernández, Juan Carballo, Diego Rivas, Bernardo Ortiz, Ignacio Games y Guillermo Yancén.

36 docs., núms. 224-261.

231

1791, enero, 17, Aranjuez.
1791, mayo, 17, Aranjuez.

Expediente: trata de las indagaciones que se vienen haciendo sobre una libranza falsificada de cuatro mil reales de plata hallada en la caja del Regimiento de Infantería de Luisiana.

2 docs., núms. 262-266.

232

1791, enero, 20, Madrid.

Carpetilla dirigida al Capitán General de Luisiana en la que se piden informes sobre Pedro Rola, Sargento 1.º destinado en Pamplona y sobre los cadetes preferidos para ocupar las subtenencias de Bandera del primero y segundo batallón.

Núm. 267.

233

1791, enero, 24, Madrid.
1791, febrero, 28, Palacio.

Expediente: el Rey ha concedido a Juan Frelón, desertor del Regimiento Fijo de Luisiana, gracia para continuar en el cuerpo de Guardias Walonas.

5 docs., núms. 268-273.

234

1791, febrero, 1, Nueva Orleáns.
1792, enero, 18, La Habana.

Luis de las Casas, Capitán General de Luisiana, al Conde del Campo de Alange. Comunica la necesidad de hombres que tiene el Regimiento de Infantería de Luisiana y envía «un estado de fuerzas» de este regimiento en los meses de enero y febrero. Asimismo solicita real determinación acerca del destino del Capitán D. Josef Micaely. En respuesta se le comunica la Decisión Real de enviar desde España «vagos y otros rematados» para engrosar el ejército de Luisiana y el destino de J. Micaely a Nueva Granada.

7 docs., núms. 274-282.

235

1791, febrero, 12, Madrid.

Carpetilla dirigida al Capitán General de Luisiana en la que se niega el grado de Coronel de Infantería a D. Pedro Almonáster y Roxas, Regidor Alférez Real de la ciudad de Nueva Orleáns.

Núm. 283.

236

1791, febrero, 17, La Habana.
1792, abril, 16, Aranjuez.

Expediente: solicitud y Orden Real sobre provisión de capellanía en el Regimiento Fijo de Luisiana.

11 docs., núms. 284-297.

237

1791, febrero, 21, Palacio.

Carta dirigida al Secretario del Supremo Consejo de Guerra en la que de Orden del Rey se le remite el proceso por robo formado en Nueva Orleáns contra dos soldados del Regimiento de Luisiana.

1 doc., núm. 298.

238

1791, febrero, 25, Trinidad.
1791, julio, 15, Madrid.

Expediente: negada la solicitud de D. Pedro Antonio Sánchez, Coronel del Batallón de Voluntarios Blancos de las Cuatro Villas de Cuba, de que se les concedan plazas de cadetes en el propio cuerpo a sus cuatro hijos.

3 docs., núms. 299-302.

239

1791, febrero, 28, Pamplona.
1791, agosto, 26, La Habana.

Expediente: concesión de plaza de Cadete en el Regimiento Fijo de Luisiana, con destino al presidio de Pensacola, a D. Ramón de Soto.

7 docs., núms. 303-311.

240

1791, junio, 25, Cartagena.
1791, agosto, 12, Real de Valencia.

Expediente: concesión de indulto al Soldado del Regimiento Fijo de Luisiana D. Vicente Izquierdo acusado de deserción. Trasladado al Regimiento de Valencia. Trata también de los indultos concedidos a D. Juan Francisco Manuel España y a Andrés Maestre, desertores de los batallones de Marina.

5 docs., núms. 312-317.

241

1791, marzo, 4, Pamplona.
1791, septiembre, 3, San Ildefonso.

Expediente: concesión a D. Juan Ynsausti, Soldado del Regimiento Fijo de Luisiana, de indulto del tiempo que le falta para cumplir su servicio.

5 docs., núms. 318-325.

242

1791, marzo, 7, La Habana.
1791, julio, 28, La Habana.

Luis de las Casas comunica al Conde del Campo de Alange la pobreza y deudas en que se halla la Hacienda de la provincia de Florida Oriental «por la cual envió aquel Gobernador a D. Carlos Howard para que la esforzase, cuias razones se comunicaron al virrey de México pidiéndole algún pronto socorro» (sic).

6 docs., núms. 326-331.

243

1791, marzo, 24, Madrid.
1791, junio, 7, La Habana.

D. Luis de las Casas al Conde del Campo de Alange. Acusa recibo de la Real Orden enviada para que observe los acontecimientos que se produzcan en la parte francesa de la isla de Santo Domingo.

1 doc., núms. 332-333.

244

1791, marzo, 30, Madrid.
1791, junio, 14, Aranjuez.

Expediente: denegado el permiso para pasar al Regimiento Fijo de Luisiana a D. Josef Antonio, Tambor agregado a los Inválidos de Madrid.

5 docs., núms. 334-339.

245

1791, abril, 6, Sevilla.
1791, diciembre, 16, La Habana.

Expediente: concedida la solicitud hecha por Dña. María del Carmen Dominé para que se obligue a volver a España a su marido D. Antonio Argote, Capitán de Milicias en Luisiana.

4 docs., núms. 340-344.

246

1791, abril, 11, La Mobila.
1791, julio, 29, La Habana.

Luis de las Casas, Capitán General de Luisiana, informa al Conde del Campo de Alange de las inundaciones y pérdidas acaecidas en los establecimientos de La Mobila y Feliciana según noticias enviadas por sus respectivos comandantes, D. Vicente Folch y D. Anselmo Blanchard al Gobernador de Nueva Orleáns.

6 docs., núms. 345-350.

247

1791, abril, 11, Pensacola.
1792, mayo, 26, Aranjuez.

Expediente: se concede permiso a D. Luis Bertucat, Comandante del Fuerte de San Marcos de Apalache, para construir, allí, a sus expensas, una iglesia.

3 docs., núms. 351-355.

248

1791, abril, 13, Aranjuez.
1791, abril, 15, Aranjuez.

Expediente: concesión de una herencia de D. Josef de Orvieta, Capitán que fue de Luisiana, a su hermano D. Joaquín de Orvieta, Sargento distinguido de los Inválidos de Toro.

2 docs., núms. 356-358.

249

1791, mayo, 31, La Habana.
1791, septiembre, 9, San Ildefonso.

Expediente: Resolución Real sobre los «vagos aplicados al servicio de las armas» que quedan inválidos antes de cumplir su tiempo de condena.

3 docs., núms. 359-362.

250

1791, junio, 30, Nueva Orleáns.
1791, diciembre, 15, Madrid.

Expediente: concesión de premios e inválidos a los siguientes individuos del Regimiento de Infantería Fijo de Luisiana:

Bautista Silvestre, Miguel Álvarez, Vicente Royo, Vicente Muñoz, Pedro Navarro, Genaro Santorum, Luis Álvarez, Domingo Gómez, Jaime Cots, Vicente Garrido, Juan López, Francisco Villanova, Jaime Alcocer, Domingo Sánchez, Bernardo Martín, Miguel Argelich, Manuel Díaz, Carlos Scolary, Lorenzo Bernaldo, Juan García, Gabriel Dorador, Antonio Vidal, Antonio Escobar, Romualdo Marín, Juan Pinto, Francisco Lorenzo Mora.

32 docs., núms. 363-395.

251

1791, julio, 5, Madrid.

Carpetilla dirigida al Capitán General de Luisiana en la que se comunica el envío de órdenes para que el Comandante 'electo de las Compañías de Milicias de la Costa de Alemanes las revise y acostumbre a formaciones, marchas y todo lo necesario.

Núm. 396.

252

1791, julio, 21, Madrid.

Carpetilla dirigida al Capitán General de Cuba comunicándole la Resolución de que las guarniciones de Cuba y Florida, faltas de caudales, se provean, por el momento, con los fondos de Fortificaciones «y del cualquier otro, excepto el del Tabaco».

Núm. 397.

253

1791, julio, 21, Madrid.

Carpetilla dirigida al Capitán General de Luisiana aprobando que la falúa del Gobernador de Natchez se tripule con un solo patrón y catorce remeros.

Núm. 398.

254

1791, julio, 29, Madrid.
1794, enero, 9, La Habana.

1.º Carpetilla dirigida al Capitán General de Luisiana en la que dice: «se han pasado al Conde de Floridablanca... cartas... concernientes al terreno de Los Nogales y proyectos de la Compañía de Carolina del Sur».

2.º Manuel Gayoso de Lemos, Gobernador de Natchez, al Conde de Floridablanca. Carta reservada en la que acusa recibo de noticias sobre las hostilidades de Mr. O'Fallon, americano, contra el territorio del Yazú, en el año 1790. Lemos piensa que un tratado con los indios evitaría nuevas intrigas de los anglo-americanos que se verían, así, privados de su apoyo (Nueva Orleáns, 7, enero, 1792).

3.º Luis de las Casas, Capitán General de Luisiana al Conde del Campo de Alange. Envía noticias que M. Gayoso de Lemos remite al Gobernador de Luisiana, Barón de Carondelet, en las que informa de un Tratado provisional firmado entre las naciones chactá, chicachá y española en Natchez el 14 de marzo de 1792 y por el cual se cede el territorio de Los Nogales a España por parte de las naciones indias, así como se fijan los límites de los territorios de las tres naciones. Dice que los asuntos de policía y comercio se resolverán entre los tres países y que ambas naciones indias ratificarán lo pactado en el Congreso de La Mobila (La Habana, 27, junio, 1792).

4.º Carpetilla dirigida al Capitán General de Luisiana comunicándole el conocimiento del Tratado de Los Nogales (Madrid, 24, septiembre, 1792).

5.º Carpetilla dirigida al Capitán General de Luisiana que dice que S. M. ha resuelto observen ciertas órdenes «sobre manejarse con indios y americanos, pero sin motivarlos a romper con nosotros la paz, hasta que examinado el convenio que ha celebrado dicho Gobernador (Carondelet) con el mestizo Mac Gilliwray, jefe de los indios creckes, determine el Rey lo que sea de su agrado» (San Lorenzo del Escorial, 29, septiembre, 1792).

6.º El Barón de Carondelet al Conde de Aranda. Información dada por los agentes de S. M. en Filadelfia D. Josef Jaudenes y D. Ignacio de Viar sobre un supuesto tratado entre los Estados Unidos y las naciones chactá y chicachá que fue convocado en el año de 1786 en Hope Well y en el que los pueblos indios quedaban bajo la protección de los estado-unidenses. Noticias sobre la disminución del ejército americano reunido sobre el Ohio. Los indios creeks esperan el consentimiento del Rey para invadir los Estados Americanos del Sur. Parte del establecimiento de Cumberland ha sido devastado. Pide se le envíen ayudas en hombres y dinero (Nueva Orleáns, 18, octubre, 1792).

7.º El Duque de la Alcudia al Conde del Campo de Alange. Envío de Mr. Olivier como agente de S. M. en la nación chactá aprobado por S. M. Asimismo el Rey ordena se favorezca la emigración de gente desde Estados Unidos a Luisiana sin levantar recelos de los americanos (Palacio, 16, diciembre, 1792).

8.º Carpetilla dirigida al Capitán General de Luisiana comunicándole la Aprobación Real al Tratado concluido con los indios. Manda que se envíe a Juan de Villeveubre, como Comisario, a la nación chactá (Madrid, 22, diciembre, 1792).

9.º Carpetilla dirigida al Capitán General de Luisiana en la que acusan recibo de las noticias sobre los «pricipios de hostilidades por los americanos contra la nación de indios talapuches o creckes» (Aranjuez, 19, febrero, 1793).

10.º Luis de las Casas al Conde del Campo de Alange. Remite las cartas siguientes (La Habana, 9, julio, 1793).

Adjunto:

a) Carta reservada del Barón de Carondelet a D. Luis de las Casas. Informa de las intrigas de Mr. Blount, Gobernador de Cumberland, y de los agentes americanos para enfrentar las naciones chicachás y creeks y establecerse en las Barrancas de Margot, Muscle Hoals y acercarse a Los Nogales. Envío secreto de una balandra a los lagos Borgne y Pontchartrain, al mando de D. Juan Bautista Mentringer, Subteniente de Infantería (Nueva Orleáns, 13, mayo, 1793). Remite Estados de los Regimientos de Luisiana y La Habana (Nueva Orleáns, 1, mayo, 1793).

b) Carta reservada del Barón de Carondelet a D. Luis de las Casas. Informa de la petición de ayuda hecha por la nación cheroquee para enfrentarse con los americanos, los cuales quieren apoderarse de sus tierras entre los ríos Cumberland y Tenesse. Hace un análisis de las ventajas que resultarían para España de la ayuda a las naciones indias (Nueva Orleáns, 22, mayo, 1793).

c) Carta reservada del Barón de Carondelet. Informa de los intentos americanos de formar un establecimiento en las Barrancas de Margot valiéndose del pretexto de socorrer a la nación chicachá contra los creeks. Se ha dirigido al Brigadier del Estado de Cumberland, Mr. Robertson, para que se abstenga en los asuntos de indios y a los Agentes de S. M. en Filadelfia para que medien ante el Congreso y eviten estas tensiones. La conquista de las Barrancas de Margot significaría para los americanos ser los dueños del Mississippi y de su comercio, de la situación favorable sobre los establecimientos españoles de Los Nogales, Natchez y Nueva Orleáns así como de ejercer derechos de pago a España en el comercio que abarca desde Nuevo Madrid a Ilinoa. M. Gayoso de Lemos informa desde Natchez del envío de maíz y útiles de labranza a la nación chicachá por parte de los americanos. Establecimiento de cinco mil ingleses en el Detroit los cuales alimentan a los indios de los contornos, y cuyo fin se sospecha sea moverse hasta Miami. Ante todo esto se teme la alianza entre americanos, ingleses e indios y su expansión oponiéndose a los territorios españoles (Nueva Orleáns, 22, mayo, 1793).

11.º Luis de las Casas al Conde del Campo de Alange. Remite el Tratado definitivo de Los Nogales (La Habana, 9, enero, 1794).

Adjunto:

Tratado de amistad y garantía entre España y las Naciones Indias Chicachás, Creek o Talapuche, Alibamones, Cherokees y Chactás, firmado en Los Nogales el 28 de octubre de 1793, entre Manuel Gayoso de Lemos, Comisionado por el Barón de Carondelet, y los jefes indios Ugulayacabé y Sulushemastabé, Franchimastabé, Mingó Puseus y Mistchicho. En él España se compromete a proteger a estas naciones, las cuales se obligan a contribuir a la defensa de las provincias de Luisiana y Florida. Asimismo, España mediará con los Estados Unidos para fijar los límites de los pueblos indios y evitarles posteriores enfrentamientos.

17 docs., núms. 399-421.

255

1791, agosto, 4, La Habana.
1791, diciembre, 27, Madrid.

Expediente: petición del Capitán General de Luisiana del Reglamento que regule la venta de excedentes de producción de tabaco en aquella provincia.

4 docs., núms. 422-427.

256

1791, agosto, 8, Palacio.
1792, abril, 2, Aranjuez.

Expediente: proceso seguido contra los soldados del Regimiento Fijo de Luisiana D. Antonio Chover y D. Juan Hermoso por maltratar al Sargento 1.º D. Domingo Marín y en el que se conmuta la pena de muerte del segundo por ocho años de presidio.

4 docs., núms. 428-432.

257

1791, agosto, 11, Madrid.
1791, agosto, 26, La Habana.

Carpetilla en la que se niega el grado de Capitán y el retiro de Teniente Agregado a la plaza de Pamplona a D. Juan de Saint Saudens, Teniente del Regimiento de Luisiana.

D. Luis de las Casas al Conde del Campo de Alange. Da cuenta de haber cursado la orden de concesión de dos meses de prórroga, con sueldo completo, a D. Juan de Saint Saudens, para permanecer en España.

1 doc., núms. 433-434.

258

1791, agosto, 23, Palacio.

Despacho dirigido a D. Pedro Varela, remitiéndole el proceso formado contra D. Francisco Misas, Soldado del Regimiento de Infantería Fijo de Luisiana, por «robo con fractura».

1 doc., núm. 435.

259

1791, agosto, 27, La Habana.
1792, septiembre, 28, La Habana.

Expediente: trata de las Hojas de Servicio del Regimiento Fijo de Luisiana y ajuste de la antigüedad de los Cadetes según Real Orden de 20 de enero de 1791.

5 docs., núms. 436-440.

260

1791, septiembre, 5, Nueva Orleáns.
1792, enero, 3, La Habana.

Expediente: solicitud del grado de Capitán por D. Joaquín de Osorno, Ayudante Mayor del Regimiento Fijo de Luisiana. Presenta méritos.

2 docs., núms. 441-442.

261

1791, septiembre, 17, Valencia.
1791, septiembre, 25, s. l.

Expediente: denegada la solicitud de D. Thomás Almela, Maestro zapatero, para que se le conmute la pena de servir ocho años en el Regimiento de Luisiana por el de Valencia.

1 doc., núms. 443-445.

262

1791, octubre, 12, San Agustín de la Florida.
1792, octubre, 4, Cádiz.

Expediente: trata de la detención y traslado a Madrid de D. Guillermo Bowles, sospechoso de ser agente de Lord Dunmore, Gobernador de la isla de Providencia, y acusado de perturbar la paz en Florida Occidental, donde intentó la unidad de las tribus indias y se apoderó de los almacenes de «comercio de indios» de la Casa Panton y Leslie.

23 docs., núms. 446-472.

263

1791, octubre, 18, Cádiz.
1791, noviembre, 22, San Lorenzo del Escorial.

Expediente: Orden Real para que D. Manuel Gayoso de Lemos, Comandante del Fuerte de Natchez, pague a D. Pedro Urraco, del comercio de Cádiz, la cantidad que le debe, entregándosela a D. Juan Bautista Lanz, vecino de La Habana.

4 docs., núms. 473-476.

264

1786, mayo, 31, El Ferrol.
1792, abril, 27, La Habana.

Expediente: solicitud de una de las Subtenencias vacantes en el Regimiento Fijo de Luisiana, por D. Vicente Texeiro, Cadete de dicho Regimiento.

8 docs., núms. 477-484.

265

1791, noviembre, 10, La Habana.
1792, junio, 6, Aranjuez.

Expediente: Orden Real para que D. Antonio Ferino, Cadete del Regimiento Fijo de Infantería de Cuba, sea separado del Real servicio.

3 docs., núms. 485-488.

266

1791, noviembre, 22, Cartagena.
1792, abril, 6, Cádiz.

Expediente: concesión a D. Juan Mier y Terán, Subsecretario del Fijo de Luisiana, de su solicitud para que se le considere su haber de Sargento 1.º de Granaderos hasta que cumpla su despacho y se le adelanten dos pagas respecto a su sueldo en América.

6 docs., núms. 489-498.

267

1791, noviembre, 28, San Lorenzo del Escorial.

Despacho dirigido a D. Pedro Varela remitiendo el proceso contra D. Pedro Hernández, Soldado del Regimiento Fijo de Luisiana, por haber abandonado el puesto en que de hallaba de centinela.

1 doc., núms. 499-500.

268

1791, noviembre, 28, San Lorenzo del Escorial.

Carpetilla en la cual D. Baltasar Velázquez de Cuéllar solicita Compañía en el Regimiento Fijo de Luisiana. Denegada la petición.

Núm. 501.

269

1791, diciembre, 7, Nueva Orleáns.
1792, enero, 19, La Habana.

Expediente: solicitud del grado de Teniente por D. Aquiles Trouard, Capitán de la Compañía de Milicias de la 2.ª Costa de Alemanes en Luisiana.

2 docs., núms. 502-503.

270

1791, diciembre, 30, Nueva Orleáns.
1792, marzo, 27, Aranjuez.

Luis de las Casas al Conde del Campo de Alange. Le informa que el Barón de Carondelet pasa a ser Gobernador de las Provincias de Luisiana, sustituyendo a D. Esteban Miró.

3 docs., núms. 504-506.

271

1791, diciembre, 31, Nueva Orleáns.
1792, junio, 12, Aranjuez.

Concesión de premios a D. Gregorio Iniestra y a D. Francisco Pérez, Sargento 1.º del Batallón de Milicias de Nueva Orleáns.

5 docs., núms. 507-512.

272

1791, diciembre, 31, Nueva Orleáns.
1792, septiembre, 20, San Lorenzo del Escorial.

Expediente: concesión de premio a D. Ignacio Bayesillas, Cabo del Piquete de Dragones de Luisiana.

4 docs., núms. 513-518.

273

1792, enero, 18, Nueva Orleáns.
1793, marzo, 23, La Habana.

Expediente: trata de la petición de aumento de sueldo hecha por el Gobernador de Luisiana, Barón de Carondelet, para sufragar los gastos ocasionados por las relaciones que mantiene con los jefes indios de las naciones aliadas, a lo cual responde S. M. negándole tal aumento y preguntándole si le conviene seguir en el cargo. Respuesta afirmativa de Carondelet. Por otro lado, D. Luis de las Casas, pide que se le releve de su cargo de Capitán General de Luisiana para el que propone al Barón de Carondelet o al Gobernador de Pensacola.

8 docs., núm. 519-527.

274

1792, febrero, 1, Aranjuez.

Despacho dirigido a D. Pedro Varela remitiéndole el proceso contra D. Salvador López, Soldado del Regimiento Fijo de Luisiana.

1 doc., núm. 528.

275

1792, febrero, 21, Aranjuez.
1793, junio, 16, Aranjuez.

Expediente: solicitud de la Casa Panton, Leslie y Cía. para que se les permita conducir desde Londres, directamente, los géneros de comercio para Florida Oriental. Concesión para embarcar hacia Cádiz pieles, madera y añil, producciones de este país, para fomentar el comercio de Florida con los puertos españoles a fin de animar el desarrollo de esta naciente colonia, fundamental por constituir el límite de Nueva España.

9 docs., núms. 529-539.

276

1792, febrero, 21, Aranjuez.

Carpetilla dirigida al Conde de Floridablanca en la que el Capitán General de Luisiana remite lo sucedido con tres desertores de la Guarnición de «aquel presidio»... Pregunta si hay algún convenio sobre entrega de desertores con los Estados Americanos.

Núm. 540.

277

1792, febrero, 24, Nueva Orleáns.
1792, mayo, 1, La Habana.

Expediente: solicitud del grado de Teniente Coronel por D. Juan de la Villeveuvre, Capitán de Granaderos del Fijo de Luisiana, quien actuó como intérprete en el Tratado firmado en Natchez entre los indios chactás y chicachás.

3 docs., núms. 541-543.

278

1792, marzo, 24, Navas del Marqués.
1792, julio, 13, Palacio.

Expediente: sobre traslado a la Bandera de Cádiz de D. Sebastián de Arriba y de D. Josef Palomas, reclutas del Regimiento de Infantería de Luisiana y desertores de la Bandera de Cádiz, que están presos en la villa de las Navas del Marqués.

5 docs., núms. 544-550.

279

1792, marzo, 24, Bollullos de Abilascón.
1792, abril, 10, Aranjuez.

Concesión de indulto al Soldado desertor del Regimiento de Infantería de Luisiana, D. Manuel de Armenta.

1 doc. + nota, núms. 551-552.

280

1792, marzo, 27, Aranjuez.

Carpetilla dirigida al Capitán General de Cuba que dice «que aprueba S. M. facilite al Gobernador de Luisiana los auxilios que le pida, respecto que las actuales circunstancias de Europa no hacen temer un ataque contra nuestras islas».

Núm. 553.

281

1792, abril, 1, Puebla de Montalbán.
1792, mayo, 15, Aranjuez.

Expediente: concesión de traslado al Regimiento de Burgos, a servir ocho años, a D. Antonio Castaño, sentenciado a servir por diez años en el Regimiento Fijo de Luisiana.

4 docs., núms. 554-558.

282

1792, abril, 4, s. l.
1792, abril, 12, Aranjuez.

Expediente: denegada la solicitud de D. Felipe Hendies, Soldado del Regimiento Fijo de Luisiana, quien pidió pasar al Regimiento de Guardias Walonas después de haber sido indultado por su deserción de su primitivo Regimiento.

1 doc., núms. 559-561.

283

1792, mayo, 23, La Habana.

D. Luis de las Casas al Conde del Campo de Alange. Remite copia de una carta enviada por el Gobernador de Luisiana que incluye documentos sobre los límites del territorio adquirido por la Compañía del Yazú.

2 docs., núms. 562-563.

284

1792, abril, 18, Aranjuez.

Carpetilla dirigida al Capitán General de Luisiana. El Rey queda enterado de la derrota de un ejército americano, compuesto por mil novecientos hombres, por los indios miamis, cerca de las aldeas de éstos.

Núm. 564.

285

1792, abril, 18, San Agustín de la Florida.
1792, julio, 21, Madrid.

Expediente: concesión al Dr. D. Tomás Traveris, Médico del Real Hospital de San Agustín de la Florida, de un año de licencia con medio sueldo, para pasar a Irlanda y Estados Unidos a recoger los intereses de las propiedades que allí tenía.

3 docs., núms. 565-569.

286

1792, abril, 24, Aranjuez.

Despacho dirigido a D. Pedro Varela remitiéndole el proceso contra D. Jayme Conde, Tambor del Regimiento Fijo de Luisiana, por homicidio «de caso pensado».

1 doc., núm. 570.

287

1791, septiembre, 4, San Ildefonso.
1793, enero, 25, La Habana.

Expediente: denegada la solicitud de D. Francisco Bouligny, Coronel del Regimiento Fijo de Luisiana, de que se señalara al cuerpo de su cargo un uniforme cuya divisa, solapa y vivos igualara con los de Infantería del ejército de España.

5 docs., núms. 571-577.

288

1792, mayo, 16, Aranjuez.

Carta dirigida al Sr. Gardoqui comunicándole la concesión a D. Patricio Brenan, nuevo poblador del Presidio de San Agustín de la Florida, de un permiso para la exportación desde este puerto a otros de los dominios de S. M. en América, mediante la paga de un derecho del seis por ciento de los géneros comerciales de su propiedad.

1 doc., núm. 578.

289

1792, mayo, 20, Aranjuez.

Despacho Real dirigido al Sr. Gardoqui remitiéndole la solicitud del Capitán General de Luisiana para que D. Andrés Amat de Tortosa, Intendente jubilado en Nueva España, satisfaga la deuda que tenía con la caja del Regimiento Fijo.

1 doc., núms. 579-580.

290

1792, junio, 6, Madrid.
1792, julio, 18, Madrid.

Expediente: trata de la deuda contraída por D. Joaquín Riesch, Oficial del 2.º Regimiento de Cataluña, con la caja del Regimiento Fijo de Luisiana, donde sirvió anteriormente.

1 doc., núms. 581-582.

291

1792, mayo, 29, Nueva Orleáns.
1792, junio, 26, La Habana.

D. Luis de las Casas dirige al Conde del Campo de Alange una carta que le remitió el Barón de Carondelet explicando que no se compró la goleta «Galga» como estaba previsto, debido a que por las continuas noticias que se tienen de que los americanos levantan tropas en todos los estados, principalmente Georgia, para apoderarse del puesto de Natchez, ha parecido mejor construir dos galeras más.

2 docs., núms. 583-584.

292

1792, mayo, 22, Nueva Orleáns.
1792, septiembre, 3, San Ildefonso.

Expediente: solicitud del Gobernador de Luisiana, Barón de Carondelet, en la que da cuenta del retiro de D. Francisco Javier Fernández, Oficial Escribiente de la Secretaría del Gobierno dc Luisiana y pidiendo se cubra este puesto por D. Cayetano Valdés que lo fue de la Intendencia Agregada al Gobierno.

2 docs., núms. 585-586.

293

1792, mayo, 28, Aranjuez.

Carpetilla dirigida al Capitán General de Luisiana comunicándole la Orden Real para que el Coronel D. Gilberto Antonio Maxent pague a D. Carlos Eduardo Levis la deuda contraída por él.

Núm. 587.

294

1792, mayo, 31, Aranjuez.

Carta dirigida a D. Pedro Varela remitiéndole el proceso formado contra D. Atanasio del Soto, Soldado del Regimiento Fijo de Luisiana por haber herido a D. Josef Torres.

1 doc., núm. 588.

295

1792, junio, 10, Aranjuez.
1792, agosto, 6, La Habana.

Envío de hombres de los Regimientos de La Habana y Cuba a los de Luisiana.

2 docs., núms. 589-590.

296

1792, junio, 30, Pensacola.
1792, diciembre, 3, San Lorenzo del Escorial.

Expediente: concesión de premios y retiros para los siguientes individuos del Fijo de Luisiana, Compañía de Infantería Ligera de La Habana y Batallón de Milicias de Luisiana:

D. Pedro Rola, Francisco Latre, Cayetano Paijón, Domingo Gómez, Antonio Burrero, Blas Sáez, Santiago Piboto, Alfonso González, Manuel del Río, Simón de Sara, Inocente Serraña, Tomás Serrano, Pablo Berjes, Lázaro Albañil, Juan Cabañas, Antonio Aguirre, Clemente Álvarez, Rafael Segrera, Buenaventura Boix, Manuel Almonares, Juan Puig, Pedro Lafoye, Antonio Chily, Pedro Puig, Domingo Parisiny, Josef Tomás y Josef Domínguez.

34 docs., núms. 591-628.

297

1792, julio, 27, Palacio.
1792, octubre, 26, San Lorenzo del Escorial.

Cuatro carpetillas dirigidas a D. Esteban Miró, Gobernador de Luisiana; al Capitán General de Luisiana; al Conde de Aranda; al Juez de Arribadas de Indias y al Gobernador de Cádiz. Tratan del traslado del mulato libre Beauve a Cádiz.

Núms. 629-632.

298

1792, septiembre, 5, La Habana.

D. Luis de las Casas al Conde del Campo de Alange. Remite documentos del Capitán General de Luisiana informándole de las medidas tomadas para defenderse de los americanos; del modo en que el Presidente de los Estados Unidos, el Ministro de Guerra y varios gobernadores intentan atraerse a las tribus indias induciéndolas a que se unan al ejército preparado en el río Ohio, para así amenazar los establecimientos españoles. Se ha dispuesto una escuadra de galeras y demás buques que suba a Natchez, encargando su mando al Capitán D. Pedro Rousseau.

2 docs., núms. 633-634.

299

1792, agosto, 11, San Ildefonso.

Carpetilla dirigida al Capitán General de Luisiana en la que se aprueba la formación de dos compañías de Milicias en San Bernardo y el levantamiento de otras dos desde el río Mississippi hasta el «forno llamado de Plaquemine» (sic).

Núm. 635.

300

1792, agosto, 14, San Ildefonso.
1792, agosto, 31, San Ildefonso.

Dos carpetillas, la primera de las cuales está dirigida al Gobernador de Florida, Sr. Quesada, comunicándole que no se le releva del pago de la media annata por razón del sueldo que gozó como Intendente de Comayagua. La segunda carpetilla se dirige al Capitán General de Luisiana, comunicándole que al Sr. Quesada se le concederá, más adelante, licencia para venir a España.

Núms. 636-637.

301

1792, agosto, 27, San Ildefonso.

Carpetilla dirigida al Conde de Aranda, «remitiéndole la carta del Capitán General de Luisiana y documentos que la acompañan pasados a aquel feje por el Gobernador de Florida, Juan Nepomuceno de Quesada sobre la entrega desde nuestra provincia a los EE. UU. de esclavos prófugos de estos» (sic).

Núm. 638.

302

1792, septiembre, 12, San Ildefonso.

El Conde de Aranda al Conde del Campo de Alange. Le da cuenta de que no existe en el Archivo de la Secretaría nada relativo a la solicitud de Dña. Felicitas Ponteneuf, viuda de D. Pedro Piernas, Coronel que fue del Fijo de Luisiana.

1 doc., núm. 639.

303

1792, septiembre, 20, Florida.

El Gobernador de Florida, D. Juan N. de Quesada, al Conde del Campo de Alange. Justifica el envío de índices de sus anteriores oficios.

1 doc., núm. 640.

304

1792, septiembre, 27, San Lorenzo del Escorial.

Despacho dirigido a D. Pedro Varela, en el que se le remite el proceso contra D. Josef Colín, Cabo 1.º del Regimiento Fijo de Luisiana.

1 doc., núm. 641.

305

1792, octubre, 18, San Lorenzo del Escorial.

Carpetilla dirigida al Capitán General de Luisiana remitiéndole Orden Real sobre el traspaso de la dependencia de las compañías de Infantería Ligera de Cataluña al Subinspector General en todos los asuntos dependientes a su empleo.

Núm. 642.

306

1792, octubre, 22, San Lorenzo del Escorial.

Carpetilla dirigida al Capitán General de Luisiana comunicándole que el Rey no ha aprobado la sentencia del Consejo ordinario de Oficiales contra D. Pablo Mayor, Cabo del Regimiento de Luisiana, por falta de subordinación y manda que dicho cabo sea depuesto de la escuadra y sirva como soldado.

Núm. 643.

307

1792, noviembre, 26, San Lorenzo del Escorial.

Despacho remitido a D. Pedro Varela en el que se le envía el proceso formado contra D. Josef Esquivel, Soldado del Fijo de Luisiana, por delito de robo.

1 doc., núm. 644.

LEGAJO 6.917

FECHOS CONCERNIENTES A FLORIDA Y LUISIANA

308

1780, junio, 5, Nueva Orleáns.
1794, noviembre, 8, San Lorenzo el Real.

Expediente: nombramiento de D. Andrés López de Armentero, Director de Escuelas de Nueva Orleáns, como Secretario de Gobierno de Luisiana. Expone méritos. Creación de un nuevo puesto de Escribano Real en Luisiana, cubierto por D. Luis Liotan.

9 docs., nums. 1-13.

309

1792, junio, 30, Nueva Orleáns.
1793, mayo, 7, La Habana.

Expediente: concesión del traslado al Regimiento de Infantería de Méjico a D. Ramón Caballero, Soldado del Regimiento de Infantería Fijo de Luisiana.

5 docs., núms. 14-18.

310

1792, marzo, 25, Pensacola.
1794, marzo, 17, Aranjuez.

Expediente: concesión a D. Vicente Floch, Capitán del Regimiento de Infantería Fijo de Luisiana, de licencia por un año para pasar al Principado de Cataluña. Se le niega el grado de Teniente Coronel de Infantería que había pedido.

3 docs., núms. 19-24.

311

1792, enero, 4, San Agustín de la Florida.
1793, febrero, 22, Aranjuez.

Expediente: condena de seis años en uno de los Batallones del Regimiento de Cuba, a tres desertores de la Guarnición de San Agustín de la Florida que fueron devueltos por el comandante de un Puesto Americano. Consultas sobre la existencia de un convenio Español-Americano sobre la extradición de desertores.

7 docs., núms. 25-32.

312

1793, febrero, 23, Aranjuez.
1793, febrero, 27, Aranjuez.

Expediente: concesión a D. Celestino de St. Maxent promovido a Capitán del Regimiento Fijo de Infantería de Luisiana, de transporte en un correo marítimo a su destino.

2 docs., núms. 33-34.

313

1793, marzo, 4, Aranjuez.

Carpetilla dirigida al Capitán General de Luisiana. Negado el grado de Capitán del Ejército al Capitán de Milicias retirado D. Juan Duforest, Intérprete público del idioma inglés.

Núm. 35.

314

1792, marzo, 1, San Agustín de la Florida.
1793, marzo, 21, Aranjuez.

Expediente: concesión al Teniente Coronel D. Carlos Howard, Secretario de Gobierno de la provincia de Florida, de licencia por un año para pasar a Irlanda, su patria.

4 docs., núms. 36-41.

315

1793, marzo, 30, Aranjuez.

Carpetilla dirigida al Capitán General de Luisiana. Denegada la solicitud de D. Pedro Fabrot, Capitán del Regimiento de Infantería Fijo de Luisiana, del grado de Teniente Coronel.

Núm. 42.

316

1793, abril, 1, Aranjuez.

Carpetilla dirigida al Capitán General de Luisiana. Denegado el grado de Coronel de Infantería a D. Enrique White, Teniente Coronel del Regimiento Fijo de Luisiana.

Núm. 43.

317

1793, abril, 10, La Habana.

El Capitán General de Florida, D. Luis de las Casas, al Conde del Campo de Alange. Dando cuenta del incidente ocurrido en el Presidio de San Agustín de la Florida, donde se amotinaron varios soldados para exigir lo que se les debía.

Adjunta:
— Carta del Gobierno de Florida, D. Juan Nepomuceno de Quesada a D. Luis de las Casas. Remite, a su vez, otra de Quesada

al Conde de Revilla Gigedo (San Agustín de la Florida, 14, marzo, 1793).

2 docs., núms. 44-45.

318

1793, mayo, 2, La Habana.

El Capitán General de Luisiana al Conde del Campo de Alange. Dando noticias de haber avistado en las costas de dicha provincia, en la Punta de Gran Tierra, un bergantín con bandera blanca.

Adjunta:
— Copia de la carta dirigida a él por el Gobernador de Luisiana, Barón de Carondelet (Nueva Orleáns, 16, abril, 1793).

2 docs., núms. 46-47.

319

1793, enero, 27, San Agustín de la Florida.
1793, mayo, 6, La Habana.

Expediente: solicitud de D. Onofre Gutiérrez de Rozas, Cadete del Regimiento de Infantería de Cuba, para que se le conceda un empleo en Rentas Reales.

5 docs., núms. 48-52.

320

1791, septiembre, 28, Nueva Orleáns.
1793, mayo, 20, Aranjuez.

Expediente: denegada la solicitud de D. Francisco Dutillet, Subteniente retirado sin sueldo en Nueva Orleáns, para volver a su antiguo Regimiento Fijo de Infantería de Luisiana con antigüedad.

2 docs., núms. 53-56.

321

1793, junio, 6, Aranjuez.

Carpetilla dirigida al Capitán General de Luisiana. Pidiendo informes sobre la conducta de D. Tomás Sobrado, Soldado del Regimiento Fijo de Luisiana, y ordenando que, entretanto, no se le permita ir a Europa.

Núm. 57.

322

1793, junio, 14, Aranjuez.

Despacho dirigido a D. Pedro Varela. Comunicándole se le remite el proceso por robo formado en Nueva Orleáns contra D. Antonio Calvo, Tambor de la 3.ª Compañía, 1.º Batallón del Regimiento Fijo de Luisiana.

1 doc., núm. 58.

323

1792, diciembre, 31, Nueva Orleáns.
1793, junio, 15, Aranjuez.

Expediente: concesión de premios e inválidos a los siguientes individuos del Regimiento de Infantería Fijo de Luisiana:
— D. Antonio Martínez; Manuel de los Reyes, Sargento 2.º; Félix Antoñety; Vicente Contreras; Daniel Aplubey; Juan Rufio, Cabo de Grast (sic); Gregorio Rebidiego; Tomás Esteban, Sargento 1.º; Magino Alen, Sargento 1.º; Eugenio Gómez; Francisco Martínez; Manuel Pérez; Josef Domínguez, Sargento 1.º; Bernardo Formento; Josef Rosiñoly; Josef Florio; Fermín Alcántara; Juan Pidou, Pífano 2.º; Francisco Reyes; Nicolás Gerard; Juan Bueno; Carlos Martínez; Domingo Gómez.

30 docs., núms. 59-89.

324

1793, agosto, 13, La Habana.

El Capitán General de Luisiana al Conde del Campo de Alange. Incluyendo copia de la carta del Gobernador de Luisiana, Barón de Carondelet, en la que da cuenta del estado de fuerzas en dicha provincia y de los preparativos hechos para hacer frente a una posible insurrección (Nueva Orleáns, 5, julio, 1793).

3 docs., núms. 90-92.

325

1793, julio, 9, Aranjuez.

Carpetilla. Licencia de embarco para D. Rafael Ramos de Vilches, Controlador del Hospital Militar de Nueva Orleáns en Luisiana.

1 doc., núm. 93.

326

1793, julio, 12, San Agustín de la Florida.

D. Juan Nepomuceno de Quesada al Conde del Campo de Alange. Solicitud del grado de Brigadier de D. Juan Nepomuceno de Quesada, Gobernador de Florida.

1 doc., núm. 94.

327

1793, julio, 13, San Agustín de la Florida.

El Gobernador de Florida, J. N. de Quesada, al Conde del Campo de Alange. Informa sobre el estado crítico de la provincia debido a la falta de caudales y tropas y al hecho de que la mayor parte de la población es extranjera con conexiones en EE. UU. y en ellos subyace un sentimiento de ser franceses, lo cual ha ocasionado problemas con la declaración de la guerra entre España y Francia.

1 doc., núm. 95.

328

1793, julio, 18, Viso del Marqués.

Expediente: solicitud de Catalina Soguero para que se le envíe la herencia de su hijo, D. Francisco Sánchez, que murió de soldado en La Mobila.

2 docs., núms. 96-98.

329

1793, agosto, 6, Palacio.
1793, agosto, 9, Madrid.

Orden Real: concesión a dieciséis desertores franceses de pasaportes para pasar a servir en la Legión que está formando el Marqués de St. Simón en Pamplona. Incluye dos cartas de remisión de pasaportes.

1 doc., núm. 99.

330

1793, febrero, 26, La Habana.
1793, agosto, 9, Madrid.

Expediente: concesión al Gobernador de Florida Oriental de poder para autorizar las sentencias de los procesos militares que no contengan penas de muerte.

2 docs., núms. 100-102.

331

1788, julio, 5, Nueva Orleáns.
1793, agosto, 24, San Ildefonso.

Expediente: licencia absoluta para D. Cayetano Fajardo y Cobarruvias, Cadete del Regimiento Fijo de Luisiana, debido a su mala conducta.

7 docs., núms 103-110.

332

1793, agosto, 30, San Ildefonso.

Despacho dirigido a D. Pedro Varela. Comunicándole se le remite el proceso contra D. Ygnacio María de la Nava, Cabo 1.º del Regimiento Fijo de Luisiana, acusado de suplantar la firma de un sargento 1.º

1 doc., núm. 111.

333

1793, julio, 17, Nueva Orleáns.
1793, octubre, 29, La Habana.

Expediente: solicitud de D. Josef Javier Pontalba, Teniente Coronel de los reales ejércitos y Comandante del Regimiento de Milicias de las Costas de Alemanas, para pasar a servir en el Ejército de Navarra.

3 docs., núms. 112-114.

334

1793, julio, 17, Nueva Orleáns.
1793, septiembre, 4, La Habana.

Expediente: solicitud del grado de Capitán por D. Pedro Foucher, Teniente de Granaderos del Regimiento Fijo de Luisiana.

2 docs., núms. 115-116.

335

1793, mayo, 20, Fuerte de San Felipe.
1793, septiembre, 10, San Ildefonso.

Expediente: el Capitán General de Luisiana solicita resolución sobre una Goleta francesa detenida en la boca del río Mississippi y conducida a Nueva Orleáns después de la ruptura de relaciones entre Francia y España (Real Orden 26, febrero, 1793). S. M. autoriza el cange de prisioneros franceses por otros españoles en poder de los franceses y la venta en pública subasta de la Goleta francesa.

3 docs., núms. 117-120.

336

1793, septiembre, 16, San Ildefonso.

Despacho dirigido a D. Pedro Varela. Comunicándole el envío del proceso contra D. Josef María Moreno, presidiario por haber asesinado y robado a una mujer.

1 doc., núm. 121.

337

1793, septiembre, 16, San Ildefonso.

Despacho a D. Pedro Varela. Comunicándole el envío del proceso contra D. Miguel Dumont, Tambor de la 2.ª Compañía de Granaderos del Regimiento Fijo, por haber maltratado a un Sargento 2.º

1 doc., núm. 122.

338

1793, julio, 22, Nueva Orleáns.
1793, octubre, 17, La Habana.

Expediente: el Capitán General de Luisiana, L. de las Casas, apoya un memorial del Coronel del Regimiento Fijo solicitando se iguale la fuerza del 3.º Batallón con la del 1.º y 2.º, ante el temor de ser invadida la provincia por americanos o indios y de una sublevación de la provincia francesa.

5 docs., núms. 123-129.

339

1793, agosto, 21, Nueva Orleáns.
1793, octubre, 19, La Habana.

Expediente: solicitud de D. Gilberto Andry, Teniente de la 1.ª Compañía del 1.º Batallón del Regimiento Fijo de Luisiana, para que se le conceda el grado de Capitán de su Compañía, vacante por la muerte de D. Joseph Bequers.

2 docs., núms. 130-131.

340

1792, diciembre, 31, Pensacola.
1794, octubre, 23, San Lorenzo del Escorial.

Expediente: denegada a D. Juan Antonio Bassot, Teniente del Regimiento de Infantería Fijo, la solicitud de que se le conceda la antigüedad desde que el Virrey de Nueva España le nombró para servir en esta clase en el Fijo de Guatemala.

3 docs., núms. 132-135.

341

1793, noviembre, 7, La Habana.

Luis de las Casas al Duque de la Alcudia. Comunicando el retraso de la salida hacia Santo Domingo de la fragata «Nuestra Señora de la O» y la urca «Librada» debido al peligro que suponían buques franceses navegando por la zona hasta la desembocadura del canal de Bahamas.

1 doc., núm. 136.

342

1791, julio, 28, Pensacola.
1794, octubre, 23, San Lorenzo del Escorial.

Expediente: denegada la solicitud de D. Josef Noriega, Ayudante de la Plaza de Pensacola, y D. Francisco Javier Guessy, Capitán del Regimiento Fijo de Luisiana, para permutar sus empleos. Concesión a D. Francisco Javier Guessy del retiro como capitán agregado al Estado Mayor de la Plaza de Alicante y concesión del permiso para permanecer en su destino anterior hasta el final de la guerra con Francia.

14 docs., núms. 137-153.

343

1793, abril, 1, Nueva Orleáns.
1793, diciembre, 3, San Lorenzo del Escorial.

Expediente: concesión del grado de Teniente Coronel y agregación de Capitán al Estado Mayor de Nueva Orleáns, a D. Manuel Pérez, Capitán del Regimiento de Infantería Fijo de Luisiana, que había participado en la toma de los Fuertes ingleses del Mississippi, y, como Teniente, había tenido a su cargo durante cinco años los establecimientos Occidentales de Illinois.

6 docs., núms. 154-160.

344

1794, enero, 14, Palacio.

Despacho a D. Pedro Varela. Remitiéndole el proceso contra D. Ignacio Giménez, Soldado del Regimiento Fijo de Luisiana, acusado de haber sacado la bayoneta contra un cabo 1.º

1 doc., núm. 161.

345

1793, abril, 3, San Agustín de la Florida.
1794, enero, 25, La Habana.

Expediente: el Capitán General de Florida remite la solicitud de un sargento francés llamado Blondel para ser admitido en el servicio del Rey de España. Comunica un intento francés de saquear las costas de San Agustín de la Florida con apoyo de los franceses y negros allí residentes. Remite carta del Gobernador de Florida y dos documentos que lo acompañan.

6 docs., núms. 162-168.

346

1793, junio, 30, Pensacola.
1794, febrero, 8, Aranjuez.

Expediente: concesión de premios a los siguientes individuos del Regimiento de Infantería Fijo de Luisiana.
— D. Matías Cervera, Sargento 1.º; Pedro Vázquez; Pedro Torrico; Juan Milán; Juan Fernández; Manuel de los Reyes, Sargento 2.º; Vicente Chelva, Cabo 1.º; Félix Antonety; Ángel González; Domingo Truxillo; Domingo Domínguez; Martín Ibáñez, Sargento 1.º; Enrique Hollins; Manuel Díaz; Manuel Vara, Cabo 2.º; Josef Escobar, Cabo 1.º

20 docs., núms. 169-189.

347

1793, junio, 30, Nueva Orleáns.
1794, febrero, 8, Aranjuez.

Expediente: concesión de cédulas de inválidos a los siguientes individuos del Regimiento de Infantería Fijo de Luisiana.

— D. Luis Marcos; Francisco Reyes; Juan Pedro Pérez López, Tambor; Francisco de la Vega; Domingo Diego Fernández; Diego Romero; Pedro Lamasuada, Cabo 1.º; Pedro Pérez, Sargento 2.º

13 docs., núms. 190-203.

348

1792, octubre, 11, Nueva Orleáns.
1794, febrero, 18, Cádiz.

Expediente: traslado de Manuel Cuevas, Soldado del Regimiento de Infantería de Luisiana, a la Brigada de desterrados de Ceuta, por haber dirigido un anónimo al Gobernador de Luisiana en el que avisaba de una conjuración contra la ciudad de Nueva Orleáns.

13 docs., núms. 204-218.

349

1792, julio, 5, Talassie de la Nación Creck (sic).
1794, febrero, 21, Aranjuez.

Expediente: concesión a D. Pedro Olivier, Teniente y Ayudante del Regimiento de Infantería de Luisiana y Comisario en la nación Talapuche, para que se le considere la antigüedad del grado de Capitán desde el 26 de febrero de 1792.

3 docs., núms. 219-222.

350

1794, abril, 24, Aranjuez.

Despacho dirigido a D. Pedro Varela. Remitiéndole el proceso formado en San Agustín de la Florida contra D. Pascual Jiménez y D. Santiago Duarte, Cabo y Granadero de la Compañía del 3.º Batallón del Regimiento de Infantería de Cuba, acusados del delito de robo.

1 doc., núm. 223.

351

1794, abril, 28, Aranjuez.

Carpetilla dirigida al Capitán General de Luisiana. «Aprobado lo dispuesto con el Teniente del 3.º Batallón del Regimiento de Infantería de Cuba, D. Sebastián Creagh, que le mantenga en un castillo el tiempo conveniente».

Núm. 224.

352

1793, abril, 25, Cádiz.
1794, mayo, 13, Cádiz.

Expediente: concesión del pasaporte y Orden Real para que embarque hacia su destino a D. Josef Cortés y Vargas, Subteniente del Regimiento de Infantería Fijo de Luisiana.

11 docs., núms. 225-238.

353

1794, julio, 1, Madrid.

Despacho dirigido al Capitán General de Florida y Luisiana. Infomándole sobre una balandra apresada por un corsario francés cuando iba de refuerzo a San Agustín de la Florida desde La Habana.

1 doc., núm. 239.

354

1793, diciembre, 31, Nueva Orleáns.
1794, julio, 10, Madrid.

Expediente: concesión de premios para los siguientes individuos del Regimiento de Infantería Fijo de Luisiana.
— D. Domingo Alonso, Alférez; Fernando Álvarez, Sargento 2.º; Pedro Lamasuada, Cabo 1.º; Juan Fernández; Antonio Ruvio, Ca-

bo 1.º; Bartolomé López, Sargento 1.º; Josef Martín, Cabo 2.º; Manuel Garay; Isidro Herrera; Pedro Santana; Juan Francisco Vilela; Antonio Duarte, Sargento 2.º; Leonardo Fuentes; Manuel Rubio, Sargento 2.º; Bernardo Madrigal; Salvador García.

21 docs., núms. 240-261.

355

1793, diciembre, 31, Nueva Orleáns.
1794, julio, 10, Madrid.

Expediente: concesión de cédulas de inválidos a los siguientes individuos del Regimiento de Infantería Fijo de Luisiana:
— D. Miguel Solivellas, Sargento 1.º; Pedro Manuel Doncel, Sargento 2.º; Pablo Borges; Francisco Ronda, Sargento 2.º; Pablo Domínguez; Valentín Rincón, Sargento 1.º; Juan Antonio Villar, Sargento 2.º

10 docs., núms. 262-272.

356

1794, julio, 14, Madrid.
1794, julio, 24, San Ildefonso.

Despacho dirigido al Capitán General de Luisiana. Comunicándole que D. Carlos Fabre Daunoy, Cadete del Regimiento de Infantería Fijo, presente los documentos en regla para obtener la plaza de Guardia de Corps en la Compañía Americana. Comunicación del mismo problema en carta del Duque de la Alcudia al Conde del Campo de Alange.

2 docs., núms. 273-274.

357

1793, diciembre, 31, Nueva Orleáns.
1794, julio, 25, San Ildefonso.

Expediente: concesión de un premio de constancia a D. Josef Lozano, Dragón de Luisiana dependiente del Regimiento de Infantería de Méjico.

4 docs., núms. 275-278.

358

1794, mayo, 19, La Habana.
1794, julio, 23, San Ildefonso.

El Capitán General de Luisiana al Conde del Campo de Alange. Comunica la llegada al río Mississippi del refuerzo de cuatro Compañías del Regimiento de Méjico y el Bergantín de guerra «San Francisco de Borja». Despacho Real dándose por enterado.

2 docs., núms. 279-281.

359

1793, diciembre, 15, Nueva Orleáns.
1794, julio, 24, San Ildefonso.

El Capitán General de Luisiana al Conde del Campo de Alange. Comunica la posibilidad de que el Príncipe Eduardo de Inglaterra viaje de incógnito a Nueva Orleáns y pide instrucciones sobre su actuación con él. Contestación y Órdenes Reales.

3 docs., núms. 282-285.

360

1793, agosto, 1, Nueva Orleáns.
1794, agosto, 4, San Ildefonso.

El Capitán General de Luisiana al Conde del Campo de Alange. Remite los exámenes de los Cadetes del Regimiento Fijo de Luisiana. Contestación.

4 docs., núms. 286-290.

361

1794, agosto, 11, San Ildefonso.

Carpetilla dirigida al Capitán General de Luisiana. Comunicándole el envío de las órdenes del consejo de Estado sobre las invasiones intentadas por los franceses contra esa provincia.

Núm. 291.

362

1791, abril, 30, Nueva Orleáns.
1795, febrero, 28, Méjico.

Expediente: denegada la solicitud de D. Josef Leblanc, Teniente del Regimiento de Infantería Fijo de Luisiana, para formar una Compañía de Dragones nombrándosele a él Comandante; Teniente a D. Terencio, su hermano, Cadete del mismo Regimiento; y Alférez a D. Mariano García, Sargento y Comandante del piquete de Dragones. Orden para mandar una Compañía de Dragones a Luisiana desde la Isla de Cuba.

8 docs., núms. 292-302.

363

1794, septiembre, 11, San Ildefonso.

Despacho dirigido al Secretario del Consejo de Guerra. Remitiéndole el proceso contra D. Leandro Alva, Granadero del Regimiento Fijo de Luisiana, acusado de desobediencia durante el servicio.

1 doc., núm. 303.

364

1792, abril, 30, Nueva Orleáns.
1794, septiembre, 13, San Ildefonso.

Expediente: solicitud del Alférez de Fragata D. Josef de Hevia, Capitán del Puerto y Comandante del resguardo de la Real Hacienda en Nueva Orleáns, para que se le conceda una Subtenencia a sus hijos D. Francisco Emeterio y D. José Bernardo, Cadetes del Regimiento Fijo de Luisiana, o se les cuente la antigüedad de Cadetes desde que fueron admitidos.

4 docs., núms. 304-308.

365

1791, agosto, 9, Nueva Orleáns.
1794, septiembre, 20, San Ildefonso.

Expediente: desaprobación de la sentencia del Consejo de Oficiales contra D. Pablo Mayor, Cabo, y el Teniente D. Antonio Palau, del Regimiento Fijo de Luisiana. Condena a Pablo Mayor a servir 4 años como soldado y, a Antonio Palau a arresto de 1 año y retención de la mitad de su sueldo. Solicitud de D. Antonio Palau y, Martín Palau, Tenientes del Regimiento Fijo de Luisiana y los Subtenientes D. Josef Cruzat y D. Pedro Palau, para que les fuera restituida la herencia de D. Martín Palau, Capitán de dicho Regimiento. Denegada la solicitud de D. Antonio Palau, para que se le dé por cumplido su arresto y se le devuelva la mitad de su sueldo retenido.

18 docs., núms. 309-331.

366

1785, abril, 18, Nueva Orleáns.
1794, octubre, 15, San Lorenzo del Escorial.

Expediente: concesión a D. Esteban Vaugine, Capitán retirado del Regimiento de Infantería de Luisiana, de licencia y prórroga para pasar a Francia. Concesión del grado de Teniente Coronel. Denegada su solicitud de devolución de cierta cantidad de dinero por la Hacienda Real y pago de atrasos.

25 docs., núms. 332-361.

367

1794, febrero, 13, Nueva Orleáns.
1795, febrero, 28, Méjico.

Expediente: concesión del Establecimiento de Banderas de Recluta en el Reino de Nueva España, para completar las bajas en el Regimiento de Infantería Fijo de Luisiana.

5 docs., núms. 362-368.

368

1794, octubre, 23 San Lorenzo del Escorial.

Carpetilla dirigida al Capitán General de Cuba. Concesión de transporte a Nueva Orleáns para dos oficiales franceses, el Caballero D'Ache y Domingo Bontoux de la Blanche, que quieren pasar a servir a Luisiana.

Núm. 369.

369

1794, enero, 30, Nueva Orleáns.
1794, octubre, 24, San Lorenzo del Escorial.

Expediente: concesión a D. Nicolás Verbois, Teniente graduado de Infantería con medio sueldo y Capitán de las Milicias de las Costas de Alemanes, del sueldo entero de su actual grado del ejército. Presenta méritos.

3 docs., núms. 370-373.

370

1793, octubre, 24, Nueva Orleáns.
1794, octubre, 24, San Lorenzo del Escorial.

Expediente: concesión a D. Juan Mier y Terán, Subteniente de Bandera del Regimiento Fijo de Luisiana, de su solicitud para que se le pague el atraso de sus haberes.

4 docs., núms. 374-378.

371

1794, mayo, 22, Madrid.
1794, octubre, 28, Madrid.

Expediente: solicitud de D. Cosme Montanaro, Primer Subteniente del Regimiento de Infantería Inmemorial del Rey, para pasar a uno de los cuerpos de América. Se le prometió una Subtenencia en el Fijo de Luisiana.

4 docs., núms. 379-385.

372

1788, agosto, 19, San Ildefonso.
1794, junio, 4, Nueva Orleáns.

Expediente: concesión de la agregación a Madrid y posterior traslado a Nueva Orleáns al Teniente Coronel retirado D. Gilberto

Antonio St. Maxent, Teniente de Gobernador y Capitán General de la Provincia de Florida Occidental, en todo lo respectivo a las Naciones Indias. Solicitud del empleo de Coronel del Regimiento fijo de Luisiana, vacante por fallecimiento de D. Pedro Piernas. Denegada la solicitud de ascenso a Brigadier. Orden Real para que pague una deuda contraída con D. Carlos Eduardo Lewis.

20 docs., núms. 386-409.

373

1794, marzo, 31, Nueva Orleáns.
1794, noviembre, 15, San Lorenzo del Escorial.

Expediente: negado el grado de Coronel al Teniente Coronel graduado D. Carlos de Grand-Pre, Capitán del Regimiento de Infantería Fijo de Luisiana, que mandó durante cinco años el puesto de Punta Cortada, durante la guerra de los americanos con su Metrópoli.

3 docs., núms. 410-413.

374

1794, noviembre, 5, San Lorenzo del Escorial.

Carpetilla dirigida al Capitán General de Luisiana. Negado a D. Juan Mac-Queen, nuevo poblador de Florida Oriental, el grado de Capitán de milicias que solicitó.

Núm. 414.

375

1794, noviembre, 3, Autol.
1794, diciembre, 6, San Lorenzo del Escorial.

Expediente: concesión a D. Severino Pérez de Muro, de la solicitud para que su hijo D. Francisco Javier Pérez y Muro, sea trasladado a servir de soldado en el Regimiento Fijo de Luisiana.

3 docs., núms. 415-419.

376

1794, enero, 18, Aranjuez.
1794, noviembre, 17, San Lorenzo del Escorial.

5 Carpetillas:
— Carpetilla dirigida al Capitán General de Luisiana. Comunicándole que se ha concedido licencia por dos meses para D. Juan Gautier, Sargento Mayor del Regimiento de Infantería Fijo (Aranjuez, 18, enero, 1794).
— Carpetilla al Capitán General de Madrid. Denegada la anticipación de sueldo a D. Juan Gautier (Aranjuez, 26, junio, 1794).
— Carpetillas. Pasaportes de embarco para D. Carlos Dehault Delassus, Teniente Coronel agregado al Regimiento de Infantería de Luisiana y a D. Juan Gautier.
— Carpetilla al Gobernador de Cádiz. Resolución sobre la solicitud de pagas anticipadas de D. Carlos Dehault y D. Juan Gautier (San Lorenzo del Escorial, 17, noviembre, 1794).

Núms. 420-424.

377

1792, junio, 1, La Habana.
1794, noviembre, 24, San Lorenzo del Escorial.

Expediente: destierro del mulato libre D. Josef Beauve de la Luisiana, su patria, debido a sus ideas peligrosas. Se le obliga a residir en Córdoba.

20 docs., núms. 425-448.

378

1794, diciembre, 4, San Lorenzo del Escorial.

Despacho dirigido al Secretario del Supremo Consejo de Guerra. Remitiéndole los procesos contra D. Francisco de Alva y D. Francisco Calero, soldados, y D. Josef Ramírez, Cabo, todos del 3.º Batallón del Regimiento Fijo de Luisiana, acusados de insultos y malos tratos a superiores.

1 doc., núm. 449.

379

1794, diciembre, 5, San Lorenzo del Escorial. ·

Carpetilla dirigida al Capitán General de Luisiana. Comunicándole la concesión de prórroga por cinco meses de la licencia para establecerse en Madrid, a D. Antonio Cobo y Morales, Teniente del Regimiento de Infantería Fijo de Luisiana.

Núm. 450.

380

1794, julio, 30, Nueva Orleáns.
1794, diciembre, 10, San Lorenzo del Escorial.

Expediente: concesión de inválidos y premios a los siguientes individuos del Regimiento de Infantería Fijo de Luisiana.
— D. Juan Bernar; Juan Rosiñoly; Francisco de la Vega; Antonio Martínez; Enrique Neis; Juan Enrique Rich; Diego Fernández; Antonio Clarissen; Thomas Ebrán; Francisco Ballesteros; Juan Bruno; Andrés González; Antonio Chacón; Diego Cazorla; Thomas García; Antonio Mercedes; Josef Cazorla; Joaquín de Roxas; Antonio Cazorla; Juan José Gixar; Antonio José López; Jorge Pedro Marc; Luis Álvarez; Domingo Gómez; Juan Antonio Lorenzo; Pedro Bogio; Josef Gómez; Matías Cervera; Antonio León; Juan Marín.

37 docs., núms. 451-487.

381

1794, diciembre, 29, Madrid.

Carpetilla dirigida al Capitán General de Luisiana. Previniéndole mande la solicitud para el grado de Brigadier de D. Francisco Bouligny, Coronel del Regimiento de Infantería de Luisiana.

Núm. 488.

LEGAJO 6.918

FECHOS CONCERNIENTES A FLORIDA Y LUISIANA

382

1794, junio, 30, Nueva Orleáns.
1795, enero, 20, Aranjuez.

Expediente: concesión de un premio a D. Mariano García, Sargento del Regimiento de Dragones de España del Reino de Méjico, del piquete destinado a Luisiana. Denegado el premio a D. Mariano Lazo, Cabo del mismo cuerpo.

6 docs., núms. 1-7.

383

1795, febrero, 14, Aranjuez.

Carpetilla dirigida al Duque de La Alcudia. Remitiéndole cartas del Capitán General de Luisiana y Florida con noticias sobre la finalización de los intentos hostiles franceses, los puertos fortificados por los americanos y, una invasión del territorio de los indios «Krikes Superiores» por el Mayor de Milicias de Georgia, con mil hombres.

Núm. 8.

384

1795, julio, 28, Nueva Orleáns.
1795, octubre, 12, La Habana.

El Capitán General de Luisiana al Conde del Campo de Alange. Comunicándole la situación de la tropa del 1.º Batallón del Regimiento de Infantería Fijo de Méjico, después de que en un traslado desde Nueva Orleáns en tres barcos: la goleta «Feliz», el bergantín de guerra «La Ardilla» y el paquebot «Nuestra Señora del Carmen», ha sufrido bajas por desaparición del bergantín y casi hundimiento del paquebot.

2 docs., núms. 9-11.

385

1794, julio, 12, Nueva Orleáns.
1795, marzo, 21, Aranjuez.

Expediente: denegada la solicitud para el grado de Capitán del ejército sin sueldo a D. Santiago Livaudais, habitante distinguido de Luisiana.

3 docs., núms. 12-15.

386

1795, marzo, 24, Aranjuez.

Carpetilla dirigida al Duque de La Alcudia. Remitiéndole carta del Capitán General de Luisiana que incluye otra del Barón de Carondelet dando noticias de las intenciones del Partido Demócrata del Estado de Kentucky para erigirse como Estado independiente respecto al resto de EE. UU. con apoyo y socorro de España.

Núm. 16.

387

1794, abril, 21, Nueva Orleáns.
1795, marzo, 24, Aranjuez.

Expediente: denegada la solicitud del grado de Capitán del Ejército a D. Manuel Cantrelle, Comandante del distrito de Cavahanose y Teniente graduado del Ejército.

3 docs., núms. 17-20.

388

1795, abril, 14, Aranjuez.

Carpetilla dirigida al Juez de Arribadas de Cádiz. Comunicando al Ministerio de Marina lo correspondiente para que verifique el embarco en el navío «Santiago la España» de D. Carlos Lanes, Teniente Coronel del Regimiento de Luisiana, y D. Juan Gautier, Sargento Mayor del mismo.

Núm. 21.

389

1795, mayo, 1, Aranjuez.

Carpetilla dirigida al Capitán General de Luisiana. Comunicándole que se ha negado la solicitud del grado de Brigadier para D. Manuel Gayoso de Lemos.

Núm. 22.-

390

1794, abril, 9, La Habana.
1795, mayo, 18, La Habana.

Expediente: solicitud de D. Vicente Floch, Capitán del Regimiento Fijo de Luisiana, para que se le conceda el Gobierno de la Laguna de Términos, en la provincia de Yucatán, y el grado de Teniente Coronel.

2 docs., núms. 23-24.

391

1794, diciembre, 10, Nueva Orleáns.
1795, mayo, 22, Aranjuez.

El capitán General de Luisiana al Conde del Campo de Alange. Informa sobre el incendio producido en Nueva Orleáns el 8 de diciembre de 1794. Adjunta un relato detallado del incendio por el Barón de Carondelet.

Adjunta:
— Copia del oficio del Barón de Carondelet sobre el incendio de
Nueva Orleáns, y un plano de la ciudad señalando la zona afec-
tada (M. P. y D. XVI-132).

6 docs., núms. 25-32.

392

1794, septiembre, 1, Nueva Orleáns.
1795, agosto, 21, La Habana.

Expediente: Orden Real de nombrar un sólo oficial de la Secretaría de Gobierno de la provincia de Luisiana, que al dejar vacante
D. Cayetano Valdés, había sido ocupada por dos meritorios.

4 docs., núms. 33-37.

393

1795, enero, 24, San Agustín de la Florida.
1795, mayo, 26, Aranjuez.

El Capitán General de Florida al Conde del Campo de Alange.
Remite un oficio del Gobernador de Florida que incluye una carta
de D. Diego Seagrove, habitante de Georgia Comisionado por los
EE. UU. entre las naciones indias, a D. Andrés Atkinson, Capitán
de Milicias de Dragones de Florida Oriental, en la que después de
darle noticias sobre las victorias francesas en Europa le propone
se traslade a Georgia como administrador de una finca.

3 docs., núms. 38-41.

394

1794, octubre, 30, Nueva Orleáns.
1795, mayo, 27, Aranjuez.

El Capitán General de Luisiana al Conde del Campo de Alange.
Comunica la disposición de retirar, de Florida Oriental a La Habana, las tres Compañías del Regimiento de Infantería de Méjico y
las tres ligeras de Cataluña. Informa sobre la situación de los asuntos americanos en las provincias cercanas a Luisiana y Florida.

Remite:

— Correspondencia del Gobernador de Luisiana, Barón de Carondelet, sobre la situación del fuerte de San Marcos de Apalache y la disposición de las naciones indias Creeks para responder a los ataques americanos del General Elixha (sic) Clarke que se encontraba en territorio indio, entre los ríos Okonee y Ocmulgee.

— Carta del Gobernador de Florida, D. Juan Nepomuceno de Quesada, que da noticias de la retirada a Georgia del General Clarke y la demolición de los fuertes construidos por éste. Informa sobre la actividad de un ingeniero francés al servicio de EE. UU. que está demarcando un fuerte proyectado para construirse en la isla de Cumberland (Río de Santa María).

— D. Guillermo Plauden al Gobernador de Florida. Informándole de las intenciones francesas de tomar la Isla Amalia para tener un puerto donde vender sus presas.

5 docs., núms. 42-47.

395

1794, septiembre, 6, Nueva Orleáns.
1795, mayo, 27, Aranjuez.

Expediente: negada a D. Rafael Croquer, Subteniente del Regimiento Fijo de Luisiana, su solicitud para ocupar la Tenencia de la 1.ª Compañía del 1.º Batallón, destinada para Guardias de Corps.

3 docs., núms. 48-51.

396

1795, junio, 30, Aranjuez.

Carpetilla. D. Gabriel Rodrigo, Subteniente de las Milicias de Puerto Rico, solicita colocación en algún regimiento veterano de América.

Núm. 52.

397

1795, mayo, 14, San Agustín de la Florida.
1795, julio, 13, La Habana.

El Capitán General de Florida al Conde del Campo de Alange. Dirige la solicitud del Gobernador de Florida, D. Juan Nepomuceno de Quesada para trasladarse a la Isla de Cuba. Reflexiones sobre D. Bartolomé Morales, Gobernador Interino de Florida, y los motivos que tienen para sustituirle por D. Carlos Howard.

3 docs., núms. 53-55.

398

1795, mayo, 7, Florida.
1795, agosto, 18, La Habana.

Expediente: solicitud de D. Bartolomé Morales, Comandante del 3.º Batallón del Regimiento de Cuba, para que se le conceda el Gobierno de Florida Oriental.

2 docs., núms. 56-57.

399

1795, agosto, 31, San Ildefonso.

Carpetilla dirigida al Capitán General de Luisiana. Comunicándole que recibirá órdenes sobre la venta a particulares del territorio indio de Georgia, y sobre el tratado que se está ajustando entre la Corte y EE. UU.

Núm. 58.

400

1795, agosto, 31, San Ildefonso.

Carpetilla dirigida al Capitán General de Luisiana. Comunicándole que se informó al Rey, en consejo de Estado, de los intentos de los Americanos establecidos sobre el Río Tenesi, de la conjuración de Negros de Punta Cortada, y del socorro de un batallón que él debe facilitar al Gobernador de Nueva Orleáns.

Núm. 59.

401

1795, septiembre, 8, Cádiz.
1796, noviembre, 7, s. l.

Expediente: concesión del pasaporte de embarco para el Subteniente del Regimiento de Infantería de Luisiana, D. Juan Ramírez de Arellano. Pidió el retiro por imposibilidad de emprender su viaje. Se le concedió una subtenencia de inválidos.

5 docs., núms. 60-64.

402

1795, marzo, 23, Aranjuez.
1795, octubre, 20, San Lorenzo del Escorial.

Expediente: providencia del Supremo Consejo de Guerra condenando a diez años de galeras a D. Juan Padilla, Soldado del Regimiento de Infantería de Luisiana, por haber dado muerte violenta a D. Joseph Garati.

6 docs., núms. 65-71.

403

1795, octubre, 20, Cádiz.
1795, noviembre, 17, Cádiz.

Expediente: concesión del permiso para pasar a Madrid a D. Luis Vilmont, Capitán del Regimiento de Infantería de Luisiana.

4 docs., núms. 72-76.

404

1795, noviembre, 13, La Habana.

El Capitán General de Florida, D. Luis de las Casas, al Conde del Campo de Alange. Comunicándole no tener noticias de San Agustín de la Florida desde que los enemigos fueron expulsados de la Isla Amalia, por lo que no duda que se halla en paz.

1 doc., núm. 77.

405

1781, mayo, 27, Pensacola.
1796, enero, 17, s. l.

Expediente; denegado el grado de Capitán del ejército a D. Juan Josef Duforest, Capitán retirado de Milicias de Luisiana e intérprete del idioma inglés de dicha colonia.

11 docs., núms. 78-91.

406

1795, mayo, 20, Nueva Orleáns.
1796, febrero, 20, Aranjuez.

Expediente: concesión a D. Pedro Foucher, Capitán del Regimiento de Infantería de Luisiana, del retiro en Nueva Orleáns conservando las preeminencias militares.

9 docs., núms. 92-101.

407

1796, abril, 2, Aranjuez.

Carpetilla dirigida al Capitán General de Luisiana. Comunicándole la concesión de licencia por un año para venir a España, a D. Josef Javier Pontalba, Comandante del Regimiento de Milicias de Alemanes.

Núm. 102.

408

1796, abril, 25, Aranjuez.

D. Juan González de Zayas, que ha servido en el Regimiento de Infantería de Asturias, solicita traslado a Luisiana.

1 doc., núms. 103-104.

409

1796, abril, 29, Aranjuez.
1796, mayo, 14, Aranjuez.

Expediente: reconocimiento de la deuda que D. Francisquín de los Ríos, vecino de Barcelona, reclama contra D. Celestino St. Maxent, Capitán del Regimiento de Infantería de Luisiana.

2 docs., núms. 105-106.

410

1796, mayo, 1, Nueva Orleáns.
1796, junio, 2, La Habana.

Expediente: solicitud de la Capitanía General y Gobierno de La Habana o Caracas, por el Barón de Carondelet, Mariscal de Campo y Gobernador de Luisiana y Florida Occidental.

2 docs., núms. 107-108.

411

1794, marzo, 14, San Agustín de la Florida.
1796, junio, 20, Aranjuez.

Expediente: solicitud de licencia para pasar a Génova, de D. Ángel Picardo, Cabo 1.º del Regimiento de Infantería de Cuba, que alegó falsamente ser hijo de uno de los Duques de Génova y cuñado de D. Esteban Cambiazo, Dux de la República de aquella ciudad.

7 docs., núms. 109-116.

412

1794, diciembre, 31, Pensacola.
1796, julio, 10, Madrid.

Expediente: concesión de cédulas de inválidos, premios y retiros a los siguientes individuos del Regimiento de Infantería y piquete de Dragones de Luisiana.
— D. Santiago Piboto, Sargento 2.º; Josef Darder; Thomas Ebrán, Tambor; Pedro Torrico; D. Domingo Alonso; Carlos Escolary, Cabo 1.º; Domingo Suárez; Antonio Gómez, Sargento 2.º; Enrique Neis; Josef Fernández; Lorenzo Bernaldo, Cabo 1.º; Antonio Aleyza; Jaime Castelví; Silvestre Gómez; Josef Medina; Pablo Aguado; Pedro Hermigues; Bartolomé Polidory, Cabo 2.º; Josef Moll; Luis Ribera; Christobal Eva; Francisco Molen; Josef Mendoza; Josef Aguilar; Joaquín Miguel; Juan Peralta, Sargento 1.º; Simón Sara, Cabo 1.º; Antonio González; Antonio Duarte, Sargento 2.º; Domingo Gómez, Cabo 2.º; Juan Antonio Lorenzo;

Josef Pabón; Jorge Pedro Marc; Luis Álvarez; Francisco Díez, Cabo 1.º; Juan Romano, Sargento 2.º; Antonio Rubio, Cabo 1.º; Antonio Miravete; Josef Benito; Pedro Navarro; Manuel Marcos; Pedro Cañón; Josef Teodoro Avilés; Juan Burghand; Juan Locq; Daniel Yegres; Josef Riser; Juan Cock, Pito 1.º; Enrique Stris; Juan Ringlin; Guillermo Haberchy, Sargento 1.º; Pedro Chueca; Pedro Trujillo, Cabo 1.º

131 docs., núms. 117-249.

413

1796, junio, 14, Aranjuez.
1796, julio, 10, Madrid.

Solicitud de D. Gregorio Artacho, Guarda de Reales Rentas de Luisiana, que pide algún empleo y plaza para su hijo en uno de los Regimientos.

1 doc., núms. 250-251.

414

1795, octubre, 10, Pensacola.
1796, julio, 19, San Ildefonso.

Expediente: negada a D. Ignacio Balderas, Ayudante del 3.º Batallón del Regimiento de Infantería de Luisiana, solicitud del grado de Capitán.

3 docs., núms. 252-255.

415

1795, julio, 6, Pensacola.
1796, julio, 19, San Ildefonso.

Expediente: denegada a D. Celestino St. Maxent, Capitán del 3.º Batallón del Regimiento Fijo de Luisiana, su solicitud de agregación al 1.º ó 2.º Batallón del mismo cuerpo. Se le concede pueda permutar su cargo con algún capitán de dichos batallones.

3 docs., núms. 256-259.

416

1794, junio, 8, San Marcos de Apalache.
1796, julio, 21, San Ildefonso.

Expediente: Orden Real de libertad para D. Ventura Ramos, Soldado del Regimiento Fijo de Luisiana, arrestado por haber fracturado un brazo a otro soldado en una pelea.

6 docs., núms. 260-266.

417

1790, octubre, 18, San Lorenzo del Escorial.

El Conde del Campo de Alange al Gobernador y Capitán General de la Isla de Cuba. Concesión de permiso Real para pasar a España, para el Conde de Casa Montalvo, Coronel del Regimiento provincial de Dragones de Matanzos, en Cuba.

1 doc., núm. 267.

418

1790, marzo, 12, Nueva Orleáns.
1797, enero, 9, La Habana.

Expediente: concesión de licencia para pasar a la Corte a D. Gilberto Andry, Capitán del Regimiento de Infantería de Luisiana.

10 docs., núms. 268-279.

419

1796, abril, 17, Aranjuez.
1796, diciembre, 17, San Lorenzo del Escorial.

Expediente: concesión a D. Juan Nepomuceno de Quesada de licencia para ir a la Corte. Queja de Quesada contra el Auditor de Florida.

4 docs., núms. 280-286.

420

1796, agosto, 13, Madrid.
1796, agosto, 15, San Ildefonso.

Expediente: concesión de pasaporte de embarque a D. Francisco Ladeveze, Subteniente agregado al Regimiento de Infantería de Luisiana. Denegado el anticipo de sueldo que pidió.

2 docs., núms. 287-289.

421

1792, agosto, 3, Madrid.
1796, agosto, 18, San Ildefonso.

Expediente: intento de descuento de cierta cantidad de plata que recibió al dejar su cargo, al difunto D. Esteban Miró, Gobernador e Intendente de Luisiana.

4 docs., núms. 290-295.

422

1796, agosto, 28, San Ildefonso.
1797, enero, 10, La Habana.

Expediente: descuento al Regimiento Fijo de Luisiana del importe correspondiente a las raciones de pan suministradas en San Sebastián a los reclutas de dicho cuerpo, cargado a la cuenta de la Compañía de Filipinas.

5 docs., núms. 296-300.

423

1796, agosto, 30, San Agustín de la Florida.
1797, enero, 20, San Agustín de la Florida.

El Gobernador de Florida, Enrique White, a D. Miguel José Azanza. Solicita el nombramiento de D. Manuel Rengil, Secretario de este Gobierno, como Vicecónsul para las dos Carolinas y Georgia, con residencia en Savannah, y propone para sustituirle a D. Juan de Pierra, Subteniente del 3.º Batallón del Regimiento de Infantería de Cuba.

Adjunta:
— Documentos relativos al tratado entre el Ministerio español y EE. UU. para la creación del Vicecónsul y justifica la necesidad del mismo para mantener informado al Gobierno de Florida sobre los tratados firmados por EE. UU. con los indios en Savannah, y para tratar con el Gobierno de Georgia sobre el acuerdo de devolución de esclavos prófugos.

6 docs., núms. 301-308.

424

1794, diciembre, 31, Nueva Orleáns.
1797, enero, 9, La Habana.

Expediente: concesión de cédulas de premios a los siguientes individuos del Regimiento de Infantería de Luisiana.
— D. Juan Bautista, Sargento 1.º; Diego Ortiz; Francisco Many; Antonio Vidal; Ignacio Vesada; Juan Antonio Díaz, Cabo 1.º; José Antonio Longinos, Sargento 2.º; Isidro Rua; Josef Díaz; Facundo Huel; Antonio González Ferino.

20 docs., núms. 309-328.

425

1796, agosto, 1, San Ildefonso.
1797, enero, 10, La Habana.

Expediente: dispensa a D. Pedro de la Puente, Cirujano del 3.º Batallón del Fijo de Luisiana, de los seis meses que le faltaban para obtener el grado de Bachiller por el colegio de Cádiz si revalida el de cirujano latino.

5 docs., núms. 329-334.

426

1796, octubre, 3, San Lorenzo del Escorial.

Carpetilla dirigida al Capitán General de Luisiana. Remitiéndole la orden para que se establezca en Pensacola una partida de un sargento y ocho dragones agregada al 3.º Batallón del Fijo de Luisiana.

Núm. 335.

427

1796, octubre, 28, San Lorenzo del Escorial.

Carpetilla dirigida al Capitán General de Luisiana y Florida. Comunicándole que se ha denegado a D. Juan Gautier, Sargento Mayor del Regimiento Fijo de Luisiana, el grado de Teniente Coronel de Infantería que solicitaba.

Núm. 336.

428

1795, noviembre, 7, Pensacola.
1796, octubre, 29, San Lorenzo del Escorial.

Expediente: negado el grado de Capitán a D. Jerónimo Yébenes, Teniente del Regimiento Fijo de Luisiana.

3 docs., núms. 337-340.

429

1795, febrero, 20, Nueva Orleáns.
1797, julio, 1, Nueva Orleáns.

Expediente: negada la solicitud del grado de Teniente Coronel a D. Francisco Collell, Capitán del Fijo de Luisiana. Se le concede un año de licencia para pasar a Martorell.

14 docs., núms. 341-356.

430

1796, octubre, 29, San Lorenzo del Escorial.

Carpetilla dirigida al Capitán General de Luisiana. Comunicándole que se ha negado a D. Josef Noriega, Teniente del Regimiento de Luisiana y Ayudante de la Plaza de Pensacola, el grado de Capitán.

Núm. 357.

431

1795, noviembre, 25, Pensacola.
1796, octubre, 29, San Lorenzo del Escorial.

Expediente: negado el grado de Teniente a D. Benigno García, Subteniente del Regimiento de Luisiana.

4 docs., núms. 358-362.

432

1794, enero, 7, Nueva Orleáns.
1797, septiembre, 3, La Habana.

Expediente: solicitud del cargo de Brigadier por D. Francisco Bouligny, Coronel del Regimiento de Infantería Fijo de Luisiana.

15 docs., núms. 363-379.

433

1795, diciembre, 1, San Agustín de la Florida.
1796, noviembre, 24, San Lorenzo del Escorial.

Expediente: denegada a D. Cristóbal Barroso y D. Felipe Magriñá, soldados que han sido de las Compañías ligeras de La Habana, la solicitud de cobrar sus retiros en San Agustín de la Florida por no tener derecho a disfrutarlos ya que están colocados en Renta.

3 docs., núms. 380-383.

434

1796, noviembre, 27, San Lorenzo del Escorial.

Carpetilla dirigida al Capitán de Luisiana. Comunicándole que el Rey ha negado al Capitán graduado D. Domingo de Bontoux y de la Blanche, la agregación de Teniente Coronel.

Núm. 384.

435

1796, junio, 30, Nueva Orleáns.
1796, noviembre, 28, San Lorenzo del Escorial.

El Capitán General de Luisiana, Luis de las Casas, a D. Miguel Josef Azanza, remitiéndole las Hojas de Servicios del Regimiento Fijo de aquella provincia. Acuse de recibo.

3 docs., núms. 385-387.

436

1796, febrero, 6, Nueva Orleáns.
1796, febrero, 29, San Lorenzo del Escorial.

Expediente: negado el grado de Capitán a D. Josef Le Blanc, Ayudante Mayor del Fijo de Luisiana.

3 docs., núms. 388-391.

437

1796, diciembre, 1, Nueva Orleáns.

El Barón de Carondelet a D. Miguel Josef Azanza. Comunicándole que él, por disposición del Teniente General D. Luis de las Casas, queda encargado de la Comandancia general de las provincias de Luisiana y Florida Occidental. Da noticias de la llegada como Gobernador de La Habana del Teniente General Conde de Santa Clara.

1 doc., núm. 392.

438

1796, diciembre, 6, San Lorenzo del Escorial.

Carpetilla dirigida al Capitán General de Luisiana. Comunicándole que si D. Juan José Bousquet, Cirujano del Hospital de San Agustín de la Florida quiere trasladarse a España; será destinado a uno de los hospitales de la Marina.

Núm. 393.

439

1796, junio, 30, Nueva Orleáns.
1796, diciembre, 8, San Lorenzo del Escorial.

Expediente: concesión de cédulas de premios y retiros a los siguientes individuos del Regimiento de Luisiana y Batallón de Milicias Blancas de Nueva Orleáns.
— D. Manuel Vicente Cuéllar, Sargento 1.°; Pedro Torrico; Maxin Alen; Enrique Hollins; Carlos González; Miguel Velázquez; Francisco Many; Pedro Santana; Juan Cabañas, Sargento 2.°; Jaime Cots; Romualdo Marín, Cabo 2.°; Francisco García, Cabo 2.°; Francisco Lorenzo Mora; Manuel Aguado, Cabo 2.°; Antonio Murillo; Miguel Barón; Juan Domínguez, Cabo 1.°; Mariano Lazo, Cabo 1.°; Francisco Latre; Mathias Cervera, Sargento 1.°; Víctor Santa María, Cabo 2.°; Ramón Caballero, Cabo 2.°; Gaspar Estemfel.

33 docs., núms. 394-428.

440

1795, abril, 12, Los Nogales.
1796, diciembre, 19, San Lorenzo del Escorial.

Expediente: Consejo de Guerra contra D. Simón Hernández, Soldado del Regimiento de Luisiana, por haber desertado cuando estaba de retén. Se le condena a seis años de arenales.

6 docs., núms. 429-435.

441

1795, julio, 18, San Agustín de la Florida.
1796, diciembre, 26, San Lorenzo del Escorial.

Se informa al Conde del Campo de Alange de lo ocurrido con la tripulación de un corsario francés apresado en San Agustín de la Florida, que incitando a la rebeldía al personal de la fortaleza, intentó tomarla.

3 docs., núms. 436-439.

LEGAJO 6.919

AÑO 1797

FECHOS CONCERNIENTES A FLORIDA Y LUISIANA

442

1795, noviembre, 6, San Lorenzo del Escorial.

Carpetilla dirigida al Capitán General de La Habana: el Rey ha resuelto se sigan las leyes para juzgar al Granadero D. Santiago Duarte, el cual, junto a un corsario francés, proyectó un levantamiento en San Agustín de la Florida.

Núm. 1.

443

1796, noviembre, 8, Cádiz.
1797, enero, 15, Aranjuez.

Expediente: solicitud de D. Lázaro de Terán, Cadete del Regimiento de Infantería de la Corona, para que se le envíe de nuevo el despacho en que se le concedía una subtenencia en el Regimiento de Luisiana, por haberse extraviado.

6 docs., núms. 2-11.

444

1796, junio, s. d., Nueva Orleáns.
1797, enero, 20, Aranjuez.

Expediente: denegada la solicitud del grado de Teniente Coronel de los ejércitos españoles a D. Pedro Bryan Bruin, Teniente Coronel, Comandante de las Milicias de Natchez, quien luchó en Virginia y en Boston en defensa de los EE. UU.

5 docs., núms. 12-17.

445

1797, febrero, 24, Aranjuez.

Carta dirigida a D. José Antonio de Borja, Secretario del Consejo de Guerra, remitiéndole el testimonio del intestado de D. Vicente Fernández Ruiloba, Teniente del Regimiento de Luisiana, para que se archive.

1 doc., núm. 18.

446

1797, enero, 31, Aranjuez.
1797, diciembre, 16, s. l.

Tres carpetillas dirigidas al Presidente de Cádiz, Capitán General de Andalucía y Sr. Rendón, esta última fechada en 1808, las cuales tratan de los sueldos del Subteniente D. Francisco Ladevesse, Agregado al Regimiento de Infantería de Luisiana y de la denegación de su solicitud del grado de capitán.

Núms. 19-21.

447

1797, febrero, 5, Aranjuez.
1797, junio, 5, Aranjuez.

Dos carpetillas dirigidas al Capitán General de Luisiana y Florida con la concesión de licencia para venir a España al Teniente Coronel D. José Pontalba, Comandante de las Milicias de Alemanes, el cual tiene asuntos que arreglar con la viuda de D. Esteban Miró, Dña. Celeste Macarty.

Núms. 22-23.

448

1797, febrero, 1, Nueva Orleáns.
1797, febrero, 20, Nueva Orleáns.

Expediente: solicitud de los Oficiales de las tres Compañías de Morenos y Pardos Libres de Nueva Orleáns del mismo sueldo que disfrutan los de las Milicias de Color de La Habana. Presentan méritos.

2 docs., núms. 24-26.

449

1792, febrero, 8, San Agustín de la Florida.
1797, diciembre, 18, Madrid.

Expedientes: sobre varios asuntos:
— Denegado el relevo del pago de la media annata por el sueldo que disfrutó como Comandante de Comayagua y provincia de Honduras a D. Juan N. de Quesada, actual Gobernador de San Agustín de la Florida. Asimismo se le deniega la solicitud hecha pidiendo licencia para venir a España en el año 1792. En el 1795 se le ordena se restituya a la Península.
— Concesión del grado de Coronel de Infantería a D. Enrique White, Comandante de Pensacola.
— Concesión del Gobierno de Florida al Coronel D. Enrique White. Relevo del pago de la media annata.
— Concesión del grado de Teniente Coronel de Infantería a D. Vicente Folch y del puesto de Comandante de Pensacola, vacante. Orden para que se le abonen los sueldos.

56 docs., núms. 27-93.

450

1797, marzo, 1, Aranjuez.

Carpetilla dirigida al Capitán General de Luisiana negando el grado de Teniente Coronel a D. Juan Domínguez, Capitán del Fijo de Luisiana.

Núm. 94.

451

1797, marzo, 1, Aranjuez.

Carpetilla dirigida al Capitán General de Luisiana con la concesión de licencia por un año con sueldo completo a D. Tomás Traveris, Médico del Hospital Militar de San Agustín de la Florida, para pasar a Inglaterra y EE.UU.

Núm. 95.

452

1797, marzo, 2, Aranjuez.

Carpetilla dirigida al Capitán General de Cuba. El rey ha decidido que cuando quede vacante la Sargentía Mayor de Cuba se le comunique a D. Antonio Matanza, Ayudante 1.º de San Agustín de la Florida, si le considera acreedor de ella.

Núm. 96.

453

1790, diciembre, 30, Madrid.
1797, marzo, 8, Aranjuez.

Varios expedientes: sobre D. Juan Gautier, Ayudante Mayor de las Órdenes Militares. Concesión de la Sargentía Mayor del Fijo de Luisiana; posterior traslado al Regimiento de Puerto Rico por razones de salud; licencia y prórroga para pasar a España; abono de sueldos; denegada la solicitud del grado de Teniente Coronel; concesión de la Sargentía Mayor de Milicias de Puerto Rico.

24 docs., núms. 97-127.

454

1796, octubre, 27, La Habana.
1797, marzo, 8, Aranjuez.

Expediente: denegado el empleo de Contador de la Aduana de La Habana a D. Pablo Boloix, secretario de las Capitanías Generales de La Habana, y Luisiana.

3 docs., núms. 128-131.

455

1797, marzo, 8, San Agustín de la Florida.

D. Enrique White, Gobernador de San Agustín de la Florida, envía a D. Miguel José Azanza una relación de todas las fuerzas que se hallan en Florida a su servicio y defensa en las actuales circunstancias de la guerra. Pide se le envíen socorros.

2 docs., núms. 132-133.

456

1796, abril, 17, Aranjuez.
1797, marzo, 11, Aranjuez.

Quejas del Gobernador de Florida, D. Juan N. de Quesada contra el Auditor de Guerra, D. Josef de Ortega, por el exceso de facultades que se atribuye.

4 docs., núm. 134-138.

457

1790, marzo, 2, Nueva Orleáns.
1797, marzo, 19, Aranjuez.

Expediente: denegada la solicitud del grado de Brigadier a D. Andrés Almonaster y Roxas, Coronel del Batallón de Milicias Disciplinadas de Nueva Orleáns. Recomendación del Barón de Carondelet, en base a sus obras religiosas y sociales en la ciudad de Nueva Orleáns. También considera acreedor al cargo al Coronel D. Francisco Bouligny. Por su parte, D. Luis de las Casas advierte que no merece tal ascenso y propone para el cargo a D. Pedro Marigny, Comandante del Cuerpo de Voluntarios del Mississippi.

Adjunta:
— «Descripción y estimación de la iglesia parroquial de Nueva Orleáns».
— «Certificación por la que consta la vendición y colocación del Sto. Sacramento en la Sta. Iglesia Catedral».
— «... reconocimiento de la obra de Iglesia Catedral y certificación del ingeniero Gelabert».
— «Informe del Ilm.º Sr. Diocesano».

— «Aprobación de las Constituciones del Hospital Real de la Caridad.»

13 docs., núms. 139-153.

458

1797, marzo, 20, Nueva Orleáns.

El Barón de Carondelet a D. Juan Manuel Álvarez. Dadas las urgentes circunstancias de la guerra con Inglaterra que le hacen temer algún ataque contra Pensacola propone el empleo de Coronel de la Legión Mixta de Milicias del Mississippi para los capitanes D. Pedro Marigny, a quien recomienda, D. Armando Duplantier y D. Bartolomé Le Breton.

2 docs., núms. 154-155.

459

1796, octubre, 1, San Agustín de la Florida.
1797, marzo, 26, Aranjuez.

Aprobado el envío de hombres del Regimiento de Infantería de Cuba a reforzar el 3.º Batallón del mismo Cuerpo, que guarnece la provincia de Florida. Esta plaza puede ser muy apetecible para los ingleses, tiene difícil socorro en caso de ser invadida y está habitada, en su mayoría, por ingleses y anglo-americanos.

3 docs., núms. 156-159.

460

1796, octubre, 17, La Habana.
1797, marzo, 26, Aranjuez.

Real Orden que responde a la consulta hecha por el Gobernador de Florida a D. Miguel José Azanza en la cual dice que los soldados sentenciados a presidio se mantendrán y transportarán a cuenta de la Real Hacienda.

3 docs., núms. 160-163.

461

1796, noviembre, 28, San Lorenzo del Escorial.
1797, abril, 22, Aranjuez.

Expediente: sobre la condena a cuatro meses de prisión a D. Juan Sancho, Granadero del Regimiento de Luisiana, por arrojar un cuchillo a D. Esteban Oliva, del mismo Regimiento.

3 docs., núms. 164-167.

462

1797, abril, 30, Nueva Orleáns.

Extracto del Memorial dirigido por el Comandante General Barón de Carondelet en el que D. Pedro Foucher, Capitán retirado, solicita se le permita presentar en la Contaduría del Ejército el libro relativo a la construcción de un fuerte en Nuevo Madrid en el año 1789, en la cual participó, en lugar de los documentos originales que perecieron en su casa durante el incendio de Nueva Orleáns en 1794. Solicita, también, el pago de una gratificación y dice haber participado en las campañas de Manchak, Baton Rouge, La Mobila y Pensacola.

1 doc., núm. 168.

463

1796, diciembre, 31, Nueva Orleáns.
1797, mayo, 4, Aranjuez.

Cédula de premio para D. Ignacio Vallecillas, Cabo 1.º del Piquete de Dragones Fijo de Luisiana.

4 docs., núms. 169-173.

464

1797, junio, 30, San Carlos de Barrancas.
1797, noviembre, 12, San Lorenzo del Escorial.

Concesión de premios a los individuos del Regimiento de Infantería de Luisiana que siguen:

D. Domingo Ramírez; Alfonso González; Manuel del Río, Sargento 2.º; Vicente Garrido; Lucas Perdomo, Tambor y José Nicolás Carreras.

9 docs., núms. 174-183.

465

1797, noviembre, 13, San Lorenzo del Escorial.

Carpetilla dirigida al Capitán General de Castilla la Nueva. Concesión de licencia por dos meses a D. Mariano Ruiz de Monroy, Guardia de Corps que fue de la Compañía Americana y Subteniente Electo del Fijo de Luisiana.

Núm. 184.

466

1796, febrero, 25, Nueva Orleáns.
1797, noviembre, 25, San Lorenzo del Escorial.

Expediente: condena a los soldados D. Antonio Pérez y D. Ángel Ribas de «6 carreras de Baquetas por 200 hombres y 8 años de Arsenales» al primero por delito de 2.ª deserción y de seis años de Arsenales al segundo por 1.ª deserción.

4 docs., núms. 185-189.

467

1796, agosto, 22, Nueva Orleáns.
1797, diciembre, 16, Madrid.

Expediente: concesión de licencia para pasar a España, con todo el sueldo, una vez terminada la guerra, a D. Francisco Bouligny, Coronel del Regimiento de Luisiana.

6 docs., núms. 190-197.

468

1794, julio, 25, Madrid.
1797, diciembre, 16, Madrid.

Expediente: concesión del grado de Teniente Coronel y sueldo de Capitán a D. Carlos Dehault Delassus, 2.º Teniente de Granaderos de las Guardias Walonas, cuya familia, fugitiva de Francia, se ha establecido en Luisiana.

10 docs., núms. 198-208.

469

1797, julio, 31, Nueva Orleáns.
1797, diciembre, 16, Madrid.

Expediente: concesión de permiso para pasar a Quito a D. Juan Barnó y Terrusola, Subteniente de la escuadra de Galeras de Nueva Orleáns, acompañando al Gobernador de Luisiana, Barón de Carondelet a su nueva Presidencia.

3 docs., núms. 209-212.

470

1797, diciembre, 18, Madrid.

Carpetilla dirigida al Capitán General de Luisiana comunicándole que se tendrá presente la solicitud de ascenso del Teniente D. Josef Noriega, Ayudante de la plaza de Pensacola, al grado de Capitán.

Núm. 213.

471

1797, diciembre, 20, Madrid.

Carpetilla dirigida al Capitán General de Luisiana para que se informe a D. Josef Antonio Sobrado, Agregado a la Contaduría del Supremo Consejo de Guerra, de la conducta y tiempo de condena de su hermano el soldado D. Tomás Sobrado, del Regimiento de Luisiana.

Núm. 214.

472

1796, diciembre, 31, Nueva Orleáns.
1797, mayo, 4, Aranjuez.

Expediente: concesión de premios para los siguientes individuos del Regimiento de Luisiana:

D. Jaime Alcocer, Manuel de Puerta, Josef Díaz, Jayme Ricart, Leopoldo Trafi, Antonio Aguirre, Sebastián Crespo, Francisco Lorenzo de Mora, Josef Iturralde, Antonio García, Juan Gunfaus, Juan Badía, Sigfrit Cramer, José Florío, Andrés Olcoz, Sargento 1.º, Francisco Exido, Cabo 1.º y Antonio Maldonado, Sargento 1.º

20 docs., núms. 215-236.

473

1796, diciembre, 1, Nueva Orleáns.
1797, mayo, 7, Aranjuez.

El Coronel del Fijo de Luisiana, D. Francisco Bouligny, envía un Estado de Fuerzas de dicho Regimiento y solicita el envío de hombres que engrosen el mismo a lo que se le responde que cuando haya oportunidad, pero no por el momento.

3 docs., núms. 237-240.

474

1797, enero, 21, San Agustín de la Florida.
1797, mayo, 7, Aranjuez.

El Gobernador de Florida, D. Enrique White, solicita se aumente el número de su guarnición y comunica la suspensión de licencias a ciertos soldados cumplidos del 3.º Batallón de Cuba, destinado en Florida. Alega para ello la escasez de hombres que hay para la defensa en la guerra presente. Envía una relación de fuerzas en Florida Oriental. S. M. aprueba la suspensión de licencias y reserva al Capitán General de Cuba la decisión de enviar más hombres a Florida.

4 docs., núms. 241-245.

475

1797, mayo, 14, Aranjuez.

Carpetilla dirigida al Capitán General de Luisiana, Barón de Carondelet: «previniéndole que el Inspector y Coronel satisfagan la diferencia que se advierte entre lo que informan del Sargento D. Francisco Martínez a quien proponen y lo que dicen de este individuo en su hoja de servicios».

Núm. 246.

476

1797, enero, 12, San Agustín de la Florida.
1797, mayo, 19, Aranjuez.

Expediente: D. Felipe Fatio, Teniente de la Compañía de Irlandeses de las Milicias Urbanas de Florida, es solicitado por el Ministro Español en EE.UU., D. Carlos Martínez Yrujo, para que esté a su lado en calidad de Secretario, ya que el actual D. José Ruiz de Santayana ha de restituirse a España. Por otro lado se le requiere en su puesto de Florida. El Gobernador D. Enrique White pide a S. M. una solución a lo cual contesta que decida el Capitán General de Luisiana.

6 docs., núms. 247-253.

477

1797, mayo, 21, Aranjuez.

Despacho dirigido al Capitán General de Luisiana y Florida pidiéndole dé cuenta de las causas por las que se halla vacante una tenencia del Regimiento Fijo de Luisiana, perteneciente a Guardias de Corps y avisándole de que, en adelante, notifique las vacantes y sus causas.

1 doc., núm. 254.

478

1797, enero, 4, San Agustín de la Florida.
1797, junio, 3, Aranjuez.

Cédula de inválido para D. Thomas Pacety, Miliciano voluntario que se inutilizó en San Agustín.

4 docs., núms. 255-260.

XI. — 11

479

1796, junio, 8, Nueva Orleáns.
1797, junio, 24, Aranjuez.

El Consejo de Guerra ha impuesto a D. José López, Soldado del Fijo de Luisiana, la pena de «seis carreras de Baquetas por 200 hombres y 10 años de presidio» por el delito de 2.ª deserción en tiempo de guerra.

4 docs., núms. 261-265.

480

1795, marzo, 26, San Agustín de la Florida.
1797, junio, 24, Aranjuez.

Expediente: sentencia de tres años de presidio u obras públicas al Soldado D. Joaquín Ledea, del Regimiento de Infantería de Cuba, por reincidente en vender la ropa de su vestuario.

6 docs., núms. 266-272.

481

1796, septiembre, 1, San Agustín de la Florida.
1797, julio, 5, Madrid.

Expediente: solicitud de D. Fernando de la Maza Arredondo, Comisario de entradas del Hospital de Nuestra Señora de Guadalupe en San Agustín, de la plaza de Contralor, cuya función ya ejercía por hallarse ausente el titular D. Juan Manuel Serantes.

3 docs., núms. 273-276.

482

1796, agosto, 4, San Carlos de Missouri.
1797, julio, 10, Madrid.

Expediente: denegado el grado y sueldo de Teniente al Subteniente D. Carlos Tayón, Capitán de Milicias y Comandante del pueblo de San Carlos de Misoury (sic).

3 docs., núms. 277-280.

483

1794, enero, 28, San Luis de Ilinoa (sic).
1797, julio, 10, Madrid.

Expediente: denegado el grado y sueldo de Capitán a D. Francisco Valle, Capitán de Milicias y Comandante de los pueblos de Sta. Genoveva y Nueva Borbón en Illinios. Presenta méritos.

4 docs., núms. 281-285.

484

1797, mayo, 2, Aranjuez.
1797, julio, 13, Madrid.

Expediente: se espera Real Orden para que el Consejo de Guerra juzgue el proceso, formado en Pensacola, contra D. José Gómez, Cabo 1.º e Ignacio Muñoz, Soldado, ambos del Regimiento de Luisiana, por haber dado muerte a D. Pascual Millán, también Soldado del mismo Cuerpo y destacados los tres en La Mobila.

3 docs., núms. 286-288.

485

1797, julio, 20, Madrid.

Carpetilla dirigida al Capitán General de Luisiana. El Rey ha resuelto que se mejore el destino de D. Agustín García, Ayudante 2.º, quedando suprimido su empleo. Denegación de la solicitud de dicho oficial de aumento de sueldo y grado de teniente.

Núm. 289.

486

1797, julio, 22, Nueva Orleáns.

El Barón de Carondelet, Comandante General de Luisiana, a D. Eugenio de Llagunoy Amirola. Remite un memorial de D. Pedro Pedesclaux, Escribano de Gobierno y Cabildo, quien solicita poder actuar en los autos y causas de los milicianos, fechado en Nueva Orleáns, 21 julio, 1797.

2 docs., núms. 209-291.

487

1796, diciembre, 31, Nueva Orleáns.
1797, agosto, 9, San Ildefonso.

Expediente: concesión de premios a individuos del Batallón de Milicias Disciplinarias de Nueva Orleáns:
D. Juan Domínguez, Sargento 1.º; Domingo Parisiny, Sargento 1.º; Mariano Lazo, Cabo 1.º y Domingo Sausa, Sargento 1.º

7 docs., núms. 292-299.

488

1797, agosto, 20, San Ildefonso.

Carpetilla dirigida al Capitán General de Luisiana diciéndole que espere a proveer las dos Subtenencias de bandera, hasta que sea contestada una Real Orden que trata del Sargento postergado D. Francisco Martínez.

Núm. 300.

489

1797, agosto, 4, Valencia.
1797, septiembre, 8, Cádiz.

Expediente: destino de D. José Romaguerra, desertor del Regimiento de Infantería de Aragón, al de Luisiana.

4 docs., núms. 301-305.

490

1797, enero, 27, Nueva Orleáns.
1797, octubre, 7, San Lorenzo del Escorial.

Expediente: denegada la solicitud de D. Domingo Bouligny, Teniente de Infantería del Regimiento de Luisiana, del grado de Capitán. Presenta méritos.

3 docs., núms. 306-309.

491

1797, marzo, 1, Nueva Orleáns.
1797, octubre, 8, San Lorenzo del Escorial.

Expediente: solicitud del grado de Teniente Coronel por D. Tomás Portell, Capitán del Regimiento de Luisiana que participó en el bloqueo de Gibraltar, en la guerra de los EE.UU., bajo el mando de D. Victorio de Navia y que gobernó en el puesto de Nuevo Madrid.

3 docs., núms. 310-313.

492

1797, abril, 7, Nueva Orleáns.
1797, octubre, 15, San Lorenzo del Escorial.

Expediente: denegada la solicitud hecha por el Soldado distinguido D. Guillermo, Barón de Sternal, del abono de la cantidad equivalente a los bienes que le fueron apresados por los ingleses en las costas de La Habana cuando se dirigía a su destino.

3 docs., núms. 314-317.

493

1797, octubre, 29, San Lorenzo del Escorial.

Carpetilla dirigida al Sr. Príncipe de la Paz pidiéndole información sobre los méritos del Capitán D. Luis Villemont para concederle la gracia que pretende.

Núm. 318.

494

1797, octubre, 20, San Lorenzo del Escorial.

Carpetilla dirigida al Capitán General de Luisiana y Florida, Barón de Carondelet, notificándole la negativa de S. M. a la petición del cargo de Gobernador en los establecimientos de Illinois hecha por el Teniente Coronel D. Zenón Trudeau, Capitán del Regimiento de Luisiana, por no considerar conveniente la creación de dicho cargo.

Núm. 319.

495

1797, enero, 19, Nueva Orleáns.
1797, noviembre, 4, San Lorenzo del Escorial.

Expediente: S. M. ha resuelto que sea el Consejo Ordinario de Oficiales quien juzgue la causa formada al Soldado D. Hilario Santana quien agredió a un Sargento del Regimiento de Luisiana.

4 docs., núms. 320-324.

496

1797, agosto, 8, San Ildefonso.
1797, noviembre, 4, San Lorenzo del Escorial.

Expediente: proceso y condena de pena de muerte al Soldado del Regimiento de Luisiana D. Ramón Maestre por haber matado a D. Juan García, también soldado, ambos destacados en La Mobila.

3 docs., núms. 325-328.

497

1797, junio, 30, Nueva Orleáns.
1797, noviembre, 12, San Lorenzo del Escorial.

Expediente: concesión de premios a los siguientes individuos del Regimiento de Infantería de Luisiana:
D. Manuel Díaz, Julián Martínez, Josef Rosiñoly, Pedro Ramis, Sargento 2.º, Carlos González, Manuel Pérez, Miguel Velázquez, Juan Márquez, Esteban Rodríguez, Benito Navarro, Simón Baquero, Francisco Soldevilla, Jorge Baineger y Miguel Saliera,

17 docs., núms. 329-346.

498

1797, junio, 30, Nueva Orleáns.
1797, noviembre, 12, San Lorenzo del Escorial.

Expediente: concesión de cédulas de inválidos a los siguientes individuos del Regimiento de Infantería de Luisiana.

D. Thomás García, Sargento 1.º, Juan Pedro Prevot, Manuel Díaz, Manuel Pérez, Inocente Serraña y Antonio García.

9 docs., núms. 347-356.

499

1787, marzo, 31, Palacio.
1797, julio, 12, Madrid.

Expediente: varias solicitudes de D. Carlos Howard:

— Concesión del grado de Capitán del Regimiento de Hibernia y de la Secretaría de Gobierno de San Agustín de la Florida, renunciando a su destino en La Habana.
— Concesión del grado de Capitán de Granaderos de Infantería de Cuba a cambio de su solicitud de la Comandancia del Batallón Fijo «proyectado» o Compañía de Granaderos, cargos estos que S. M. considera no deben aún proveerse.
— Concesión del grado de Teniente Coronel, al quedar vacante por ascenso de D. Enrique White a Gobernador de Pensacola. Para este cargo último fueron propuestos además D. Francisco Paula Gelabert y D. Ramón de Sentmanat tras el ascenso de D. Arturo O'Neill a Capitán General del Yucatán. Estos tres oficiales presentan méritos.
— Solicitud del grado de Teniente Coronel. Se le tendrá presente.

Los méritos de D. Carlos Howard son: en el año 84 fue Secretario Interino del Gobierno de San Agustín de la Florida, plaza aún inglesa en donde descubrió la oposición de algunos ingleses, junto al aún gobernador inglés de la plaza, a entregar ésta a España, ya firmada la paz de 1783. En el año 90 mantuvo contactos importantes con el jefe indio Mac Gilliwray. En el 93 fue nombrado Comandante Interino de la frontera creeck donde apaciguó a los indios que habían empezado a cometer robos en la provincia de Florida; en el 94 estuvo en el río de San Juan defendiendo la provincia, mediante baterías, de las amenazas de invasión del Mariscal de Campo americano Mr. Eliak (sic) Clark y del Coronel Samuel Hammond. Ambos se apoderaron de la Batería de San Nicolás y se retiraron y fortificaron en la isla Amalia, donde fueron vencidos por Howard y posteriormente derrotados en la ribera española del río de Sta. María en la frontera con Georgia.

27 docs., núms. 357-387.

LEGAJO 6.920

AÑO 1798

FECHOS CONCERNIENTES A FLORIDA Y LUISIANA

500

1797, octubre, 30, Madrid.
1798, enero, 30, Sevilla.

Expediente: concesión a D. Mariano Ruiz de Monroy, Subteniente del Fijo de Luisiana, de su solicitud de dos meses de licencia y pago de dos sueldos atrasados de su anterior empleo como Guardia de Corps.

5 docs., núms. 1-6.

501

1797, julio, 24, La Habana.
1798, enero, 25, Aranjuez.

Expediente: denegada la solicitud de D. Juan Gignou Depris, de nacionalidad francesa, para que se le conceda la agregación de Capitán con grado de Teniente Coronel al Escuadrón de Dragones de América. Se le concede una asignación.

3 docs., núms. 7-10.

502

1798, febrero, 4, Aranjuez.

Carpetilla dirigida al Capitán General de Castilla la Nueva. Comunicándole que se ha negado a D. Luis Villemont, Capitán agregado al Regimiento Fijo de Luisiana, el pase de Capitán al Regimiento de Caballería de Voluntarios.

Núm. 11.

503

1795, agosto, 28, Nueva Orleáns.
1798, marzo, 10, Aranjuez.

Expediente: Consejo de Guerra contra D. Pedro Huertas y D. Ramón Espinosa, soldados del Regimiento Fijo de Luisiana, condenados a ocho años de presidio por «hacer armas» (sic) dentro de la cuadra de su Compañía.

8 docs., núms. 12-20.

504

1796, diciembre, 30, Nueva Orleáns.
1798, marzo, 21, Aranjuez.

Expediente: denegada la solicitud de indulto para D. Guido Dreux, Capitán del Batallón de Milicias de Nueva Orleáns, acusado de haber dado muerte a una esclava.

6 docs., núms. 21-27.

505

1799, mayo, 28, La Habana.
1799, junio, 10, La Habana.

El Capitán General de Luisiana, Marqués de Someruelos, a D. Juan Manuel Álvarez, incluye copia de la carta del Ingeniero director D. Cayetano Paveto en la que da cuenta de los incidentes ocurridos entre el Intendente que fue de Luisiana, D. Franciso Rendón, el Interino D. Juan Morales y, el Ingeniero ordinario, D. Joaquín de la Torre.

2 docs., núms. 28-29.

506

1798, junio, 11, Aranjuez.

Carpetilla dirigida al Capitán General de Luisiana y Florida. Comunicándole que se ha negado a D. Josef Pontalba, Comandante del Regimiento de Milicias de las Costas de Alemanes, el grado de Coronel. Se le ha concedido prórroga por un año de la licencia para que recobre su salud.

Núm. 30.

507

1798, abril, 17, Nueva Orleáns.
1798, junio, 14, La Habana.

Expediente: solicitud de D. Gilberto Guillemard, Sargento Mayor en Nueva Orleáns, para que se le conceda la Comandancia de San Antonio de Béjar en las provincias internas de Nueva España, alegando puede ser útil su conocimiento del carácter americano en una zona muy vigilada debido a la peligrosa cercanía de los americanos, impuesta por el nuevo tratado de límites y navegación del Río Mississippi.

2 docs., núms. 31-32.

508

1798, junio, 18, Aranjuez.

Carpetilla dirigida al Capitán General de Luisiana. Previniéndole que se formen las propuestas de los empleos que quedan por proveer y remitiéndole normas al respecto.

Núm. 33.

509

1797, diciembre, 18, Nueva Orleáns.
1798, julio, 1, Madrid.

Expediente: concedida a D. Nicolás Fabre D'Aunoy, Subteniente que fue del Regimiento Fijo de Luisiana su solicitud de que no se le descuente la diferencia del sueldo de vivo al de retirado, durante el tiempo que continuó haciendo el servicio en su cuerpo hasta que recibió el despacho de retiro.

4 docs., núms. 34-38.

510

1797, diciembre, 13, Nueva Orleáns.
1798, julio, 14, Madrid.

Expediente: consulta del Gobernador de Luisiana al Capitán General de Florida y Luisiana y Orden Real sobre la preferencia entre el Intendente Interino, D. Juan Ventura Morales y el Brigadier D. Diego Lasaga, para ocupar «asiento» (sic) en una Junta de Guerra.

3 docs., núms. 39-42.

511

1798, mayo, 8, Aranjuez.
1798, julio, 17, Palacio.

Cinco carpetillas: una dirigida al Secretario del despacho de Estado, preguntando si piensa encargar alguna comisión a D. Luis Villemont, Capitán Agregado del Regimiento Fijo de Luisiana. Cuatro carpetillas dirigidas al Secretario del Despacho de Hacienda comunicándole que D. Luis Villemont ha solicitado una licencia de dos años que le ha sido concedida y pide se le adelante el sueldo.

Núms. 43-47.

512

1797, mayo, 10, Pensacola.
1798, julio, 16, Madrid.

Expediente: Consejo de Guerra contra D. Francisco López, Soldado del Regimiento Fijo de Luisiana, por el delito de «2.ª deserción con Iglesia» (sic) condenado a un recargo de seis años de servicio en su misma Compañía.

7 docs., núms. 48-55.

513

1795, diciembre, 2, Nueva Orleáns.
1798, agosto, 13, San Ildefonso.

Expediente: denegada la solicitud de D. Juan Filhiol, Capitán del Ejército y Comandante del puesto de Ouachita, para que se le conceda el sueldo de su grado, ya que disfruta el de teniente.

7 docs., núms. 56-63.

514

1798, julio, 28, Alaejos.
1798, agosto, 13, San Ildefonso.

Solicitud de D. Pablo Santander y Peña, Subteniente retirado en Alaejos, para que el Gobernador de Luisiana le envíe documentos justificativos de la muerte de D. Antonio de Oro, Capitán del Regimiento de Luisiana, necesarios para la obtención de un «menorazgo» al que tiene derecho en la Villa de Olmedo.

2 docs., núms. 64-65.

515

1795, noviembre, 2, Nueva Orleáns.
1799, febrero, 26, La Habana.

Expediente: D. Juan Deluaux, Presbítero de Nachitoches, preso en el convento de San Francisco de La Habana acusaso de haber fomentado algunos movimientos sediciosos, solicita se le conceda la libertad.

8 docs., núms. 66-74.

516

1798, mayo, 1, Baliza (del Río Mississippi).
1798, septiembre, 10, San Ildefonso.

El Capitán General de Luisiana, Conde de Santa Clara, a D. Juan Manuel Álvarez. Dirige copia de una carta del Gobernador en la que informa que una fragata inglesa «la Yris» atracó en la baliza del Río Mississippi y envió dos lanchas a registrar un bergantín americano allí fondeado. Comunica las medidas que tomó y sus temores de que toda la división del Comodoro Cochran esté por la zona.

3 docs., núms. 75-78.

517

1795, agosto, 28, Nueva Orleáns.
1798, septiembre, 12, San Ildefonso.

Expediente: dictamen del Consejo Supremo de Guerra ordenando poner en libertad al Tambor del Regimiento Fijo de Luisiana, D. Francisco Quenen, acusado de desobediencia al Subteniente del propio cuerpo, D. Juan Pellerín, y condena de seis meses por el Consejo a este último, por abuso de autoridad.

5 docs., núms. 79-84.

518

1797, octubre, 6, San Agustín de la Florida.
1798, septiembre, 14, San Ildefonso.

Expediente: denegada la solicitud de D. Miguel Lorenzo de Yznardy, Capitán de las Milicias de San Agustín de la Florida, para que se le concedan los honores de Comisario de guerra. Solicita también algún consulado.

1 doc., núms. 85-86.

519

1797, marzo, 20, Nueva Orleáns.
1798, septiembre, 27, San Ildefonso.

Expediente: devolución por irregularidades del sumario formado contra D. Josef Guillaume, Teniente de Granaderos del Regimiento de Infantería de Luisiana preso en el Fuerte de San Bernardo por su perseverancia en la embriaguez.

4 docs., núms. 87-91.

520

1798, enero, 23, Nueva Orleáns.
1798, noviembre, 13, La Habana.

Expediente: aprobada la solicitud de que D. Carlos Grand-Pre, Coronel electo para gobernador del Fuerte de Natchez, establezca su residencia en el distrito de Baton Rouge debido a que, en virtud del tratado de límites con EE.UU., debe cedérsele dicho Fuerte. Se le concede una gratificación para alquiler de vivienda. Solicita destino en el Gobierno de Yucatán, Puerto Rico, o Isla Trinidad.

5 docs., núms. 92-98.

521

1798, octubre, 8, s. l.

Carpetilla sobre la solicitud de D. Juan José Bousquet, Cirujano Mayor del Hospital de San Agustín de la Florida, para trasladarse a España.

Núm. 99.

522

1797, enero, 20, San Agustín de la Florida.
1798, octubre, 21, La Habana.

Expediente: Consejo de Guerra contra D. Félix Estulain y D. Ubaldo Marín, acusados de inductores de deserción, con agravante para el 2.º de haber abandonado la guardia. Proceso, también, contra D. Ramón Espínola, D. Pedro Hernández, y D. Pedro Álvarez, acusados de conato de deserción. Condenados D. Félix Estulain a seis años de presidio y D. Ubaldo Marín a diez.

8 docs., núms. 100-109.

523

1797, enero, 10, Nueva Orleáns.
1799, marzo, 6, La Habana.

Expediente: Consejo de Guerra contra D. Vicente Espínola, Soldado del Regimiento Fijo de Luisiana, acusado de haber maltratado de obra al Sargento 2.º de su Compañía D. Manuel del Río y a D. Ramón de Loire, Sargento 1.º del mismo Regimiento.

5 docs., núms. 110-116.

524

1797, marzo, 10, Nueva Orleáns.
1798, octubre, 18, San Lorenzo del Escorial.

Expediente: denegada la solicitud del grado de Capitán y sueldo de Teniente a D. Luis Villiers, 1.º Teniente de la Legión mixta de Milicias provinciales del Mississippi, que desempeñó misiones entre los indios Bidais para mantener la paz en Texas; entre los Cadodaquis para detener a americanos infiltrados en la frontera de Nueva España; de 1794 a 1797 desempeñó el cargo de Comisario de la Nación Talapuche.

3 docs., núms. 117-120.

525

1797, marzo, 23, Nueva Orleáns.
1798, octubre, 18, San Lorenzo del Escorial.

Expediente: denegada a D. Pedro Boissie, Teniente de Milicias de la Costa de Alemanes, la solicitud para que se le conceda el sueldo de su grado.

3 docs., núms. 121-124.

526

1797, junio, 30, Nueva Orleáns.
1798, octubre, 19, San Lorenzo del Escorial.

Expediente: negado a D. Antonio Daspit St. Armand, Subrigadier de las Compañías de Carabineros distinguidos de Luisiana, el grado y sueldo de Subteniente del Ejército.

3 docs., núms. 125-128.

527

1798, octubre, 26, San Lorenzo del Escorial.
1798, noviembre, 6, San Lorenzo del Escorial.

Carta dirigida a D. Miguel Cayetano Soler, comunicándole que no existen noticias de haberse aprobado o solicitado, por el Gobernador de Luisiana o el Capitán General, el sueldo señalado al Teniente de Milicias D. Eduardo Mc Cabé (sic).

2 docs., núms. 129-130.

528

1798, noviembre, 13, La Habana.

Carpetilla dirigida al Capitán General de Luisiana, Conde de Santa Clara. Remitiéndole copia de una carta del Gobernador de Luisiana dando cuenta de la voluntad de los oficiales del Regimiento Fijo de dicha provincia de hacer causa común y el incidente ocurrido con un capitán del mismo cuerpo.

Núm. 131.

529

1797, diciembre, 16, San Agustín de la Florida.
1798, diciembre, 30, Málaga.

Expediente: concesión de preferencia en el mando militar de Florida a D. Bartolomé Morales, Comandante del Regimiento Fijo de Infantería de Cuba, sobre el Ingeniero D. Pedro Díaz Berrio, según la Real Orden que declara que los Comandantes de los 3.º Batallones de Infantería son también Comandantes vivos y efectivos.

14 docs., núms. 132-147.

530

1798, mayo, 31, San Agustín de la Florida.
1798, noviembre, 16, San Lorenzo del Escorial

Expediente: negado al Coronel D. Enrique White, Gobernador de la Plaza de San Agustín de la Florida, el sueldo por el tiempo que sirvió interinamente la Comandancia de Pensacola.

3 docs., núms. 148-152.

531

1798, noviembre, 18, San Lorenzo del Escorial.

Carpetilla dirigida al Capitán General de Extremadura. Comunicándole se conceden tres meses de licencia con todo el sueldo, en España, a D. Francisco Guerrero, Teniente del Regimiento de Infantería de Luisiana, residente en Alburquerque.

Núm. 153.

532

1796, febrero, 27, Nueva Orleáns.
1798, noviembre, 23, San Lorenzo del Escorial.

Expediente: concesión a D. Manuel Lanzós, Capitán del Regimiento Fijo de Luisiana, del retiro con grado de Capitán agregado a la Plaza de Nueva Orleáns. Denegada la solicitud del grado de Teniente Coronel.

13 docs., núms. 154-167.

533

1798, abril, 26, Nueva Orleáns.
1798, noviembre, 26, San Lorenzo del Escorial.

Expediente: concesión de una gratificación anual desde 1794 a D. Francisco Dunegan Beaurosier, habitante honrado de Ilinios, Capitán de Milicias, que formó una aldea, San Fernando de Florisante, a cuatro leguas de la Villa de San Luis.

3 docs., núms. 168-172.

534

1798, marzo, 20, Nueva Orleáns.
1798, noviembre, 26, San Lorenzo del Escorial.

Expediente: concesión del sueldo de Capitán de Infantería a D. Pedro Derbigny, Capitán de Milicias de Luisiana e intérprete del idioma inglés en Nueva Orleáns, debido a que con la entrega de Natchez y otros puertos a los EE.UU., las relaciones entre los dos países se han incrementado y ha aumentado su trabajo, no siendo suficiente su sueldo anterior para cubrir los gastos de las expediciones a realizar.

4 docs., núms. 173-178.

535

1797, diciembre, 31, San Luis de Illinois.
1798, diciembre, 6, San Lorenzo del Escorial.

Expediente: solicitud de su plaza en propiedad por D. Antonio Soulanr (sic), Capitán de Milicias, agrimensor de la Partida Occidental de Illinois y Ayudante interno del Teniente de Gobernador de la misma partida, comisionado durante la guerra con Francia para examinar la conducta de varios franceses establecidos en Ohio, jurisdicción de EE.UU., desde donde planeaban una invasión a Luisiana.

4 docs., núms. 179-184.

LEGAJO 6.921

FECHOS CONCERNIENTES A FLORIDA Y LUISIANA

536

1798, noviembre, 18, San Lorenzo del Escorial.
1799, mayo, 28, La Habana.

Expediente: concesión de licencia y sueldo para permanecer en Alburquerque a D. Francisco Guerrero, Teniente del Regimiento de Infantería de Luisiana.

11 docs., núms. 1-12.

537

1793, abril, 30, Méjico.
1799, enero, 1, Madrid.

El Virrey de Nueva España, Conde de Revilla Gigedo al Duque de la Alcudia. Avisa de la necesidad de protección de Luisiana en el año 93; en el 98 el Ministro del Rey en EE.UU. notifica el envío por este Gobierno de un grueso de hombres a las fronteras de Luisiana para lo cual, de Orden Real, se han guarnecido los puestos de San Luis y Nuevo Madrid.

5 docs., núms. 13-17.

538

1798, noviembre, 6, Madrid.
1799, mayo, 24, La Habana.

Expediente: Real Orden para que se proponga por los jefes la subtenencia vacante de la 2.ª Compañía del 2.º Batallón por salida de D. Mariano Ruiz Monroy, reservada para Guardias de Corps.

6 docs., núms. 18-23.

539

1797, octubre, 24, Pensacola.
1799, enero, 17, Madrid.

Expediente: denegada la solicitud del cargo de Sargento Mayor de Pensacola solicitado por D. José Noriega, Ayudante Mayor de esta Plaza, por ser un cargo suspendido en el año 1787 a la muerte de D. Francisco Bonet.

3 docs., núms. 24-27.

540

1799, marzo, 17, Aranjuez.

Carpetilla dirigida al Capitán General de Luisiana y Florida. Denegada la petición hecha por D. Antonio Matanza, Ayudante de la plaza de San Agustín de la Florida, del grado de Teniente Coronel.

Núm. 28.

541

1798, noviembre, 7, San Agustín de la Florida.
1799, marzo, 25, Aranjuez.

Expediente: concesión del grado de Artillero efectivo «para el goze de medio prest» (sic) al soldado miliciano D. Tomás Pacety, inválido de la Plaza de San Agustín.

3 docs., núms. 29-31.

542

1799, marzo, 21, Nueva Orleáns.
1799, marzo, 31, Nueva Orleáns.

D. Miguel Cayetano de Soler pasa a ocupar el cargo de D. Francisco Saavedra en la Secretaría de Hacienda.

2 docs., núms. 32-33.

543

1795, mayo, 19, La Habana.
1799, abril, 5, Aranjuez.

Expediente: proceso y condena de D. Pedro Guirola, Manuel Peñarrocha y Domingo Martínez, soldados del Fijo de Luisiana, acusados de haber robado en La Mobila.

3 docs., núms. 34-37.

544

1799, abril, 8, Aranjuez.

Carpetilla dirigida al Capitán General de Luisiana y Florida que trata de los cambios de destino de D. Juan Pierra, Teniente del Regimiento de Infantería de Cuba y Secretario del Gobernador de San Agustín de la Florida.

Núm. 38.

545

1799, abril, 12, Aranjuez.

Carpetilla dirigida al Capitán General de Luisiana en la que se niega la solicitud de Teniente Coronel y el permiso para pasar a España al Capitán D. Domingo Bontoux, Agregado al Estado Mayor de Nueva Orleáns.

Núm. 39.

546

1799, abril, 21, Nueva Orleáns.

Manuel Gayoso de Lemos, Gobernador de Luisiana y Florida Occidental, al Ministro de Guerra. Participa la llegada del bergantín «El Marte» procedente de Veracruz con destino a La Habana y España portador de caudales. Expone las dificultades que existen para navegar, dada la situación con los enemigos, y los enfrentamientos que esta cuestión le ha traído con el Intendente D. Juan Morales, por lo que ruega a S. M. una dicha Intendencia a su Gobierno. Remite seis copias de su correspondencia con Juan Ventura Morales.

8 docs., núms. 40-47.

547

1799, abril, 21, Nueva Orleáns.

D. Manuel Gayoso de Lemos al Ministro de Guerra. Notifica la llegada desde Veracruz de la corbeta y el paquebote «La Ardilla» y «San Francisco de Borja» con caudales remitidos por el Virrey de Nueva España, para su auxilio.

2 docs., núms. 48-49.

548

1799, mayo, 10, Madrid.
1799, agosto, 30, La Habana.

Expediente: concesión de plazas de cadetes en el Fijo de Luisiana a D. Juan y D. José de la Rúa.

3 docs., núms. 50-52.

549

1798, octubre, 5, San Lorenzo del Escorial.
1799, mayo, 10, Aranjuez.

Expediente: relativo a la venta de presas en los puertos españoles en América.

3 docs., núms. 53-56.

550

1795-1799.

Carpetillas relativas a D. Cayetano Ansoategui, Coronel del Regimiento de Infantería de Guatemala: concesión del grado de Brigadier, incidencias entre él y D. Fernando Cevallos; del comercio de la ciudad de Comayagua, y solicitud para cambio de destino.

Núm. 57.

551

1798, septiembre, 26, Nueva Orleáns.
1799, mayo, 20, Aranjuez.

Expediente: concesión del mismo empleo en las Milicias de Puerto Rico a D. Juan Gautier, Sargento Mayor del Fijo de Luisiana. Se le tendrá presente para una comandancia.

3 docs., núms. 58-60.

552

1779, abril, 24, Aranjuez.
1799, mayo, 22, Aranjuez.

Expediente: resolución a favor de D. Ignacio Balderas, Ayudante Mayor, en un litigio sobre antigüedad mantenida con D. José Le Blanc, también Ayudante Mayor. Hay una lista del 2.º Batallón del Regimiento de Infantería de Luisiana fechada en 1780.

10 docs., núms. 61-70.

553

1796-1799.

Carpetilla: «expediente sobre la partida de un Sargento y ocho Dragones mandados formar en Pensacola». El Comandante de Pensacola solicita aumento de sueldo.

Núm. 71.

554

1794, mayo, 26, Aranjuez.
1800, enero, 18, La Habana.

Expediente: sobre varias peticiones de D. Luis Villemont, Guardia de Corps de la Compañía Americana: concesión del grado de Capitán en el Regimiento de Luisiana; denegado el pase de Capitán al de Caballería de Voluntarios; concesión Real de licencia para pasar a Francia y licencia absoluta para retirarse del servicio del ejército.

41 docs., núms. 72-124.

555

1799, mayo, 24, Aranjuez.
1800, enero, 20, La Habana.

Expediente: proceso contra el Soldado D. Juan Pérez por haber dado muerte al Cabo 1.º D. José María de Lora, ambos destacados en el puerto de San Carlos de Barrancas.

5 docs., núms. 125-131.

556

1796, mayo, 21, Nueva Orleáns.
1799, agosto, 28, San Ildefonso.

Proceso y condena a galeras a D. Juan Daspe, Soldado del Fijo de Luisiana, por haber dado muerte al paisano D. Francisco Aguilar.

8 docs., núms. 132-141.

557

1799, agosto, 30, La Habana.

El Marqués de Someruelos, Capitán General de Florida a D. Juan Manuel Álvarez. Dice quedar enterado de la Real Orden sobre la cantidad que se ha mandado aumentar al «situado» (sic) de Florida.

1 doc., núm. 142.

558

1798, octubre, 3, Nueva Orleáns.
1800, enero, 18, La Habana.

Expediente: sentencia de los soldados del Fijo de Luisiana D. Antonio Pérez y D. Josef Uriza por deserción en tiempo de guerra.

5 docs., núms. 143-148.

559

1799, mayo, 24, San Agustín de la Florida.
1799, octubre, 2, La Habana.

Expediente: solicitud de D. Jorge Viasul, General de las tropas auxiliares de Santo Domingo, que participó en la defensa de dicha isla, para pasar a España y emplearse en objetos de guerra.

2 docs., núms. 149-150.

560

1799, julio, 29, Pensacola.
1799, octubre, 19, La Habana.

Expediente: solicitud del Teniente Coronel D. Vicente Folch, Comandante de Pensacola, del cargo de Gobernador de Luisiana y Florida Occidental, cargo que ya está provisto. Presenta méritos.

11 docs., núms. 151-161.

561

1799, febrero, 19, Aranjuez.
1799, octubre, 20, San Lorenzo del Escorial.

Expediente: concesión del pago de bienes adeudados a Dña. Ramona Santillana, viuda de D. Gaspar Leal, Director que fue de la Compañía de Filipinas, por el difunto Gobernador de Nueva Orleáns, D. Mamuel Gayoso de Lemos.

4 docs., núms. 162-166.

562

1799, octubre, 23, Madrid.
1799, octubre, 26, San Lorenzo del Escorial.

Expediente: solicitud de una comisaría de guerra, consulado o administración de la Real Hacienda hecha por D. Francisco Gayoso de Lemos, Vicecónsul que ha sido de la ciudad de Oporto.

2 docs., núms. 167-169.

563

1797, noviembre, 13, San Lorenzo del Escorial.

D. José Antonio Caballero a D. Antonio Cornel. Informa del estado moral deficiente que sufre la provincia de Nueva Orleáns por la emigración de gentes del oeste y por la tolerancia de distintas sectas, lo cual ha traído un gran número de aventureros, sin religión, que se han esparcido por los distritos de Atakapas, Opelomas, Ouachita y Natchitoches. En Nueva España han hecho cacerías con los indios y confabulaciones con ellos. Otro tanto sucede en lo alto del Mississippi en el distrito de Illinois. Acuse de recibo en 16 de noviembre.

2 docs., núms. 170-172.

564

1799, mayo, 17, La Habana.
1799, diciembre, 2, San Lorenzo del Escorial.

Expediente: proceso y condena a los soldados del Regimiento de Infantería de Cuba D. Sebastián Campan y D. Josef Carballo acusados de delito de conato de deserción.

5 docs., núms. 173-179.

565

1799, diciembre, 16, La Habana.

El Marqués de Someruelos, Capitán General de Luisiana, a D. Antonio Cornel. Acusa recibo de la Real Orden que trata del reglamento de transportes y fletes.

Adjunta:
— Tres copias de la contestación del Gobernador de Florida.

4 docs., núms. 180-183.

566

1799, junio, 30, Nueva Orleáns.
1780, enero, 1, Madrid.

Expediente: concesión de premios e inválidos para individuos del Regimiento de Infantería de Luisiana:

D. Juan Bruno, José Agustín Cazorla, Juan Márquez, Miguel Berzeval, Diego Cazorla, Domingo Roeta, Juan Ortiz, Fernando Ruiz, Juan Bautista Pedriny, Juan Manuel Azaval, Juan Burghart y Juan Saguy.

15 docs., núms. 184-199.

567

1799, agosto, 2, San Ildefonso.
1800, febrero, 18, Aranjuez.

Expediente: D. Miguel Lorenzo de Iznardi, Capitán de Milicias de San Agustín de la Florida solicita y se le concede estar presente en las vacantes existentes de consulados de Francia o de Inglaterra. Denegada la petición del grado de Teniente Coronel. Se le advierte se dirija al Ministerio correspondiente para tramitar la venta de sus bienes y traslado definitivo a España.

6 docs., núms. 200-206.

568

1800, marzo, 22, Aranjuez.

Carpetilla dirigida al Intendente de Luisiana que trata del pago de Monte Pío militar a D. Nicolás María Vidal, Auditor de Guerra en Luisiana.

Núm. 207.

569

1798, septiembre, 26, Nueva Orleáns.
1800, marzo, 24, Aranjuez.

Expediente: S. M. ha acordado conceder el indulto a aquellos presidiarios que se presenten voluntariamente al Cónsul de Natchez, así como a los soldados y marineros.

6 docs., núms. 208-215.

570

1800, abril, 1 Aranjuez.

Despacho dirigido a D. Luis de las Casas pidiéndole consejo para contestar a la solicitud de concesión de un Fuero Militar hecha por los capitanes y oficiales de las Compañías Urbanas de Florida.

1 doc., núm. 216.

571

1800, abril, 30, Aranjuez.

Carpetilla dirigida al Capitán General de Luisiana y Florida. Remite un ejemplar con Real Orden para que los oficiales de la Armada ejerzan la jurisdicción militar de Marina «con independencia de la Administración de caudales».

Núm. 217.

572

1800, junio, 19, La Habana.

El Marqués de Someruelos, Capitán General de Luisiana, a D. Antonio Cornel. Remite la instancia de D. Juan Moreno, Subteniente del Regimiento de Infantería de Luisiana, solicitando el grado de Teniente.

1 doc., núm. 218.

573

1800, febrero, 16, Nueva Orleáns.
1800, junio, 25, La Habana.

El Marqués de Someruelos a D. Antonio Cornel. Remite una instancia de D. Pedro La Ronde, Teniente del Regimiento de Luisiana, solicitando el grado de capitán. Presenta méritos.

2 docs., núms. 219-220.

574

1800, junio, 28, La Habana.

El Marqués de Someruelos a D. Antonio Cornel. Comunica la petición hecha por D. Carlos Howard, Teniente Coronel, del cargo de Gobernador de Florida, sustituyendo a D. Enrique White, o en su defecto la concesión de tierras y un solar en Nueva Orleáns. Al margen: no se ha dado curso por no haber llegado la instancia.

1 doc., núm. 221.

575

1800, agosto, 21, San Ildefonso.

Real Orden por la que se concede licencia para pasar a Francia a D. Juan Bautista Pauniac Dufossat, Subteniente del Fijo de Luisiana.

1 doc., núm. 222.

576

1800, agosto, 23, La Habana.

El Marqués de Someruelos a D. Antonio Cornel. Remite una instancia de D. Jorge Jacob, Sargento de los Morenos auxiliares de las tropas españolas en Santo Domingo, el cual solicita el sueldo de esta clase.

1 doc., núms. 223-224.

577

1799, diciembre, 19, La Habana.
1800, agosto, 29, San Ildefonso.

Queda enterado el Rey del traslado de presidio de los soldados del Regimiento de Cuba, D. Josef Caro y D. Rafael Ozeguerra a San Juan de Ulúa, juzgados por delito de deserción sin iglesia y sentenciados a arsenales.

2 docs., núms. 225-226.

578

1800, octubre, 3, San Lorenzo del Escorial.

Despacho dirigido al Inspector General de Milicias: solicitud de D. Pascual Rizo y Tormo, Sargento 1.º del Regimiento de Infantería de Luisiana, de traslado a las Milicias de Alicante y Orihuela.

1 doc., núm. 227.

579

1800, octubre, 12, s. l.

Nota: el expediente de concesión de licencia para venir a España a D. Francisco Ladeveze, Subteniente del Fijo de Luisiana, pasó a tropa de Florida en septiembre de 1806.

Núm. 228.

580

1800, octubre, 15, Nueva Orleáns.

El Marqués de Casa-Calvo, Gobernador Militar de Luisiana y Florida Occidental, remite a D. Antonio Cornel, Ministro de Estado y Encargado del Despacho de Guerra, una relación de los individuos propuestos para vacantes en el Regimiento de Infantería Fijo de Luisiana. Recomienda para la Sargentía Mayor a D. Ignacio Delinó. Pide el retiro para el Coronel D. Francisco Bouligny con grado de Brigadier y aconseja colocar oficiales españoles en el regimiento citado.

4 docs., núms. 229-232.

581

1799, junio, 30, San Carlos de Barrancas.
1800, noviembre, 12, San Lorenzo del Escorial.

Expediente: concesión de premios e inválidos a los siguientes individuos del Regimiento de Infantería Fijo de Luisiana: D. Carlos Escolary, Cabo 1.º; José Antonio Longinos, Sargento 1.º; José Díaz; Ignacio Gómez, Cabo 1.º; Diego Salazar, Sargento 1.º; Andrés Gallardo, Cabo 1.º; Joaquín José González; Agustín Grande, Sargento 1.º; Ramón de Córdoba, Sargento 2.º; Matías Tornieles, Cabo 2.º; Francisco Tornieles; Juan Marín; Nicolás Carreras; Martín Latre, Tambor; Bernardo Baeza, Sargento 2.º; Manuel Cespon; Francisco Cañedo, Sargento 1.º; Josef Zamorano; Pedro Mirazo; Cayetano Marcial, Cabo 1.º; Felipe Torcada; Pedro Bogio, Cabo 1.º; Josef Gómez, Cabo 1.º; Mariano García, Cabo 1.º; Leonardo Fuentes; Josef Domínguez, Sargento 1.º; Joaquín de Yduarte; Juan Mier, Cabo 1.º; Vicente Chelva, Cabo 1.º; Domingo Ramírez y Simón de Sara, Cabo 1.º

39 docs., núms. 233-273.

582

1800, mayo, 20, Nueva Orleáns.
1800, noviembre, 19, San Lorenzo del Escorial.

Expediente: concesión de licencia y sueldo entero para pasar a Francia al finalizar la guerra al Sargento Mayor de Nueva Orleáns, Teniente Coronel D. Gilberto Guillemard.

3 docs., núms. 274-278.

583

1800, agosto, 16, La Habana.
1800, noviembre, 26, San Lorenzo del Escorial.

S. M. aprueba el préstamo que el Capitán General de Florida, Marqués de Someruelos, hizo a la plaza de Florida Oriental, si bien su devolución se hace arriesgada dadas las circunstancias que ofrece la navegación en el momento presente.

2 docs., núms. 279-281.

584

1799, junio, 25, Nueva Orleáns.
1800, diciembre, 16, Madrid.

Expediente: provisión del empleo de Coronel de la Legión Mixta del Mississippi, para el cual el Marqués de Someruelos propone a D. Armando Duplantier, Agustín Allain y Francisco Allain. Junto a estos tres capitanes está la solicitud de un cuarto, D. Celestino Honorato St. Maxent. Decisión Real de no proveer este cargo y de reorganizar las Milicias del Mississippi.

4 docs., núms. 282-286.

585

1800, febrero, 28, Nueva Orleáns.
1800, diciembre, 28, Madrid.

Expediente: concesión de licencia para venir a España a D. Martín Palao, Ayudante del Fijo de Luisiana, una vez concluida la guerra.

3 docs., núms. 287-290.

586

1800, abril, 19, Nueva Orleáns.
1800, diciembre, 28, Madrid.

Expediente: concesión de licencia para venir a España a D. Juan Beremundo de Portal, Sargento 1.º del Fijo de Luisiana, una vez concluida la guerra.

3 docs., núms. 291-294.

587

1798, diciembre, 28, Madrid.

Carpetilla dirigida al Capitán General de Luisiana que dice que el Rey ha negado el grado de teniente coronel a D. Juan Domínguez, Capitán del Fijo de Luisiana.

Núm. 295.

588

1800, abril, 25, Nueva Orleáns.
1800, diciembre, 28, Madrid.

Expediente: denegado el pase del Regimiento Fijo de Luisiana al de Milicias de Caballería de La Habana al Teniente D. Ignacio Fernández de Velasco.

4 docs., núms. 296-300.

589

1799, diciembre, 13, La Habana.
1800, diciembre, 29, Madrid.

Expediente: concesión de libertad para D. José María del Villar, Soldado del Regimiento de Cuba, acusado de herir al soldado D. Francisco Cerdá, para que continúe el servicio «por el tiempo de su empeño» (sic) más ocho años, cambiándose a otro batallón.

3 docs., núms. 301-304.

590

1800, diciembre, 3, La Habana.

El Marqués de Someruelos a D. Antonio Cornel. Remite varios documentos que le ha presentado el Capitán del puerto de Nueva Orleáns, D. José de Hevía, sobre el derecho de «ancorage y capitanía».

5 docs., núms. 305-309.

LEGAJO 6.922

FECHOS DE EMPLEOS Y RETIROS DE FLORIDA Y LUISIANA

591

S. f., s. l.

El Sr. Hore a D. Antonio Vázquez de Aldana. Pidiendo el Reglamento formado para el Regimiento de Infantería Fijo de Luisiana, citado en la prevención 6.ª de la circular expedida el 23 de abril de 1791, que adjunta.

2 docs., núms. 1-2.

592

1770, enero, 4, Nueva Orleáns.

Orden Real del 27 de febrero de 1766 por la que se ajustan los sueldos de los oficiales y demás individuos de la tropa veterana de Infantería de la Isla de Cuba.

1 doc., núm. 3.

593

1770, febrero, 21, El Pardo.
1770, junio, 30, Nueva Orleáns.

D. Luis de Unzaga y Amezaga al Marqués de Grimaldi. Comunica ha recibido las patentes del Batallón y Milicias de Nueva Orleáns y orden de pago de haberes a los oficiales comprendidos en la revista de diciembre, desde dicho mes, aunque no tuvieran sus patentes y que a D. Carlos Luis Grand-Pre, Ayudante de Milicias se le satisfaga con igual fecha el sueldo de Teniente vivo de Infantería.

3 docs., núms. 4-6.

594

1770, febrero, 12, Nueva Orleáns.
1770, octubre, 19, San Lorenzo del Escorial.

El Marqués de Grimaldi a D. Julián de Arriaga. Comunica la creación de doce compañías de Milicias en Luisiana: tres en la capital y nueve en distritos de la provincia. Orden Real para que se les conceda a los oficiales despachos del Rey como los de las Milicias de La Habana y Puerto Rico. Remite la lista de oficiales con sus sueldos.

3 docs., núms. 7-10.

595

1779, mayo, 27, Nueva Orleáns.
1779, agosto, 28, San Ildefonso.

El Gobernador de Luisiana, Bernardo de Gálvez, a D. Joseph de Gálvez. Comunica la creación de una Compañía de caballería denominada Carabineros de Luisiana formada por personas distinguidas de esta colonia, erigiéndose él mismo como Capitán. Solicita la aprobación real junto con armamento y uniformes. S. M. aprueba la iniciativa del Gobernador de Luisiana.

2 docs., núms. 11-13.

596

1779, septiembre, 3, San Ildefonso.
1779, septiembre, 10, Cádiz.

D. Francisco Maxon enterado de la Orden de D. Joseph de Gálvez para que envíe cien sillas de caballería al Gobernador de La

Habana y que éste las pase a Luisiana y mande otras cien a Cartagena.

2 docs., núms. 14-15.

597

1779, noviembre, 22, San Lorenzo del Escorial.
1779, noviembre, 30, Cádiz.

Orden de D. Joseph de Gálvez a D. Francisco Maxon, para que, del navío «la Asunción», que llegará cargado de armas destinadas a los presidios de Nueva España, envíe cien carabinas y otros tantos pares de pistolas a La Habana con dirección a Luisiana para equipar una compañía de caballería recientemente formada.

2 docs., núms. 16-17.

598

1780, enero, 10, El Pardo.
1780, febrero, 17, El Pardo.

Concesión de ascensos a los oficiales del Batallón Fijo y de Milicias de Luisiana y Regimiento de Infantería de La Habana, que se hallaron en la conquista de los Fuertes Ingleses del Río Mississippi.

— Batallón Fijo de Luisiana:
D. Esteban Miró, Alejandro Cousot, Francisco Crouzat y Carlos Grand-Pre, ascendidos a Teniente Coronel. D. Josef de Valiere, Josef Dubrevill, Manuel Pérez, Tomás de Acosta, Cenon Tradeau, Raymundo Dubrevill, Josef de la Peña y Juan Colell a Capitán. D. Pedro Piernas a Sargento Mayor. D. Tomás de Acosta a Ayudante Mayor. D. Francisco Colell, Martín Palao y Carlos Regio a Teniente. D. Antonio de Valiere, Carlos Villemont, Guido Duforat, Félix Trudeau, Marcos Villers, Pedro Blanco, Francisco Rivas a Subteniente.

— Regimiento Fijo de La Habana:
D. Hilario Estenos ascendido a Teniente Coronel. D. Fernando Céspedes a Teniente. D. Pedro Estenos a Subteniente.

— Oficiales de Plaza:

D. Jacinto Panis ascendido a Sargento Mayor de Luisiana con grado de Teniente Coronel. Mr. Leblanc a 1.º Ayudante de Luisiana. D. Gilberto Guillemard a 2.º Ayudante de la Plaza.

— Milicias de Luisiana:

D. Antonio Maxent, Alejandro Declouet, Francisco Simars de Velisle y Juan Brouner ascendidos a Teniente Coronel. D. Mauricio O'Conor, Miguel Cantrell, Luis Dustiné, Mr. Robin, Luis Judice, Enrique de Prez, Nicolás Verbois, Carlos Brazeau, Mr. Marigny y Vicente Rieux a Teniente. D. Juan Lessassier, Juan Bautista Flamant, Josef Sorel, Francisco Soubadon, Francisco Lemelle, Santiago Masicot, Pedro Boissie, Donato Bello, Anselmo Blanchard y Agustín Allain a Subteniente.

57 docs., núms. 18-75.

599

1780, febrero, 19, El Pardo.
1780, diciembre, 20, Nueva Orleáns.

Concesión a D. Carlos Trudeau del empleo de Agrimensor de Luisiana con grado de Teniente de Infantería del Ejército.

2 docs., núms. 76-77.

600

1780, febrero, 23, El Pardo.
1780, diciembre, 20, Nueva Orleáns.

El Gobernador de La Habana y el Comandante de Luisiana acusan recibo de la Orden Real del 23 de febrero de 1780 por la que se concede que los ascensos otorgados a los oficiales que participaron en la toma de los Fuertes ingleses del Mississippi, con fecha del 17 de febrero de 1780, entren en vigor desde el 10 de enero de 1780.

4 docs., núms. 78-81.

601

1780, junio, 2, Aranjuez.
1780, junio, 9, Cádiz.

El Conde de O'Reilly a D. Joseph de Gálvez. Comunicándole ha recibido la relación de Oficiales del Batallón Fijo y Milicias de Luisiana y del Regimiento de Infantería de La Habana ascendidos por su actuación en la conquista de los fuertes y establecimientos ingleses del Mississippi, y que queda todo registrado en la Secretaría de la Inspección General de su cargo.

2 docs., núms. 82-84.

602

1780, junio, 6, Aranjuez.

Orden Real por la que se concede a D. Nicolás de la Sire (sic), Ayudante Mayor de las Cuatro Compañías de Milicias de Luisiana con grado de Capitán de Infantería y sueldo de Teniente, el sueldo de Capitán desde el día 10 de enero de 1780, por su actuación en la conquista de los establecimientos ingleses del Mississippi.

1 doc., núm. 85.

603

1780, octubre, 1, La Habana.
1781, marzo, 23, El Pardo.

El Gobernador de Luisiana, Bernardo de Gálvez, a D. Josef de Gálvez. Comunica que ha recibido la relación de los Despachos de Gracias menos los de Contador y Tesorero para D. Bernardo Otero y D. Josef Foucher, y los de Milicias. Orden para que se remita el Estado de los cuerpos de Milicias, necesario para expedir las patentes y despachos.

2 docs., núms. 86-87.

604

1785, junio, 21, Nueva Orleáns.
1786, agosto, 26, Méjico.

Expediente: concesión del Fuero Militar a todos los oficiales y Sargentos del Batallón de Milicias de Nueva Orleáns, en premio a sus servicios en la última guerra con la Gran Bretaña.

5 docs., núms. 88-93.

605

1786, mayo, 20, Aranjuez.

Orden Real al Gobernador de Luisiana, recordándole la Orden del 23 de marzo de 1781 dada a su antecesor en el cargo, Conde de Gálvez, para que enviara el Estado de los Oficiales de Milicias que asistieron a la conquista de los establecimientos ingleses del Mississippi.

1 doc., núm. 94.

606

1787, marzo, 13, s. l.

Carpetilla referida al expediente sobre el cargo interino de la Capitanía General de las provincias de Luisiana y Florida, al Gobernador de La Habana, D. Josef Ezpeleta, debido a la muerte del Conde de Gálvez.

Núm. 95.

607

1786, septiembre, 15, Nueva Orleáns.
1787, diciembre, 7, La Habana.

Expediente: concesión de la Subtenencia de Bandera del Regimiento de Infantería Fijo de Luisiana a D. Luis Piernas, Cadete del Regimiento Fijo de Luisiana. Se previene al Capitán General interino de Luisiana que tenga presente para la 1.ª subtenencia de la misma clase que quede vacante a D. Joseph María Cruzat.

5 docs., núms. 96-101.

608

1786, abril, 1, Nueva Orleáns.
1787, diciembre, 7, La Habana.

Expediente: concesión a D. Luis Villars, Teniente del Regimiento de Infantería de Luisiana, del retiro con el sueldo correspondiente.

9 docs., núms. 102-111.

609

1787, abril, 2, Nueva Orleáns.
1787, septiembre, 5, San Ildefonso.

Aprobado el nombramiento de D. Nicolás Frostall, Regidor perpetuo de Nueva Orleáns, como Comandante del Puerto de O'Peluzas con gratificación anual.

4 docs., núms. 112-116.

610

1786, junio, 2, Cádiz.
1788, enero, 7, La Habana.

Expediente: concesión del Despacho de Subteniente del Regimiento Fijo de Luisiana a favor de D. Basilio Arredondo, Sargento de 1.ª agregado a la Bandera de recluta establecida en Cádiz para los Cuerpos de India.

16 docs., núms. 117-133.

611

1787, enero, 11, Nueva Orleáns.
1788, enero, 7, La Habana.

Minutas de Despachos concedidos a Oficiales por méritos en las conquistas de los Fuertes y establecimientos del Mississippi.

D. Juan Rodulfo Brouner, Comandante de Milicias de las Costas de Alemanes.

D. Pedro Marigny, Comandante de Milicias de San Bernardo (Luisiana).

D. Juan St. Marc Darvy, Comandante de Milicias de Nueva Yberia (Luisiana).

D. Santiago Gainard, Comandante de Milicias de Avoyelles (Luisiana).

D. Juan Bautista Filhiol, Comandante de Milicias de Ouachita (Luisiana).

D. Esteban Laysard, Comandante de Milicias del Rápido (Luisiana).

D. Gilberto Antonio Maxent, Comandante de Milicias de Nueva Orleáns (Luisiana).

D. Mauricio O'Conor, Ayudante de Milicias de la Costa de Alemanes.

D. Carlos La Chaise, Ayudante de Milicias de Caballería de Carabineros.

D. Ursino Durel, Abanderado de Milicias de Nueva Orleáns.

D. Antonio Griffon, Abanderado de Milicias de Nueva Orleáns.

D. Enrique Metzinger, Ayudante 2.º de Milicias de Nueva Orleáns.

D. Nicolás Delasize, Ayudante Mayor de Milicias de Nueva Orleáns.

— Agregaciones a las Milicias de Nueva Orleáns:

D. Antonio Argote y Francisco Ricaño, con el grado de Capitán. D. Francisco Braquier, Teniente. D. Aquiles M.ª Trovar, Francisco Lluch, Cristóbal de Armas, Francisco Langlois y Jayme Jorda, como Subteniente.

— Compañía de Milicias de las Costas de Cabaanose (Luisiana):

Nombramientos: D. Miguel Cantrelle, como Capitán. D. Santiago Cantrelle, Teniente. D. Augusto Verrot, Subteniente.

— 2.ª Compañía de Milicias de las Costas de Alemanes:

D. Carlos Brazeau, concesión de Patente de Capitán. D. Santiago Masicot, nombramiento de Teniente. D. Pedro Trepagnie, nombramiento de Subteniente.

— 1.ª Compañía de Milicias de Caballería de Carabineros de Nueva Orleáns:

D. Francisco Simars de Bellisle, patente de Capitán. D. Juan Bautista Macarty, nombramiento de Teniente. D. Carlos Olivier Forsell, Subteniente.

— 1.ª Compañía de Milicias de la Costa de Yberville (Luisiana):

D. Luis Dustiné, patente de Capitán. D. Francisco Soubadon, nombramiento de Teniente. D. Pedro Belly, de Subteniente.

— 1.ª Compañía de Milicias de Natchitoches (Luisiana):

D. Luis Borme, patente de Capitán. D. Antonio Santana, nombramiento de Teniente. D. Josef Pavie, de Subteniente.

— Compañía de Milicias de Atacapas (Luisiana):

D. Nicolás Forstall, patente de Capitán. D. Santiago Sorel, nombramiento de Teniente. D. Francisco Grevember, de Subteniente. D. Armando Ducrés, agregación de Teniente.

— 1.ª Cía. de Caballería de Milicias de Natchitoches:

D. Carlos Leblanc St. Denis, patentes de Capitán. D. Bernardo Dortolan, nombramiento de Teniente. D. Nicolás Rousseau, de Subteniente.

— Cía. de Milicias de la Costa Abajo del Mississippi:

D. Martín Fontenelle, patente de Capitán. D. Vicente Josef Lesasier, nombramiento de Teniente. D. Santiago Larcheveque, de Subteniente.

— Cías. de Milicias de San Luis de Ylinoa (Luisiana):

D. Benito Vázquez y Juan Bautista Martigny, patentes de Capitán. D. Carlos Tayon y Pedro Montaroy, nombramientos de Tenientes. D. Andrés Tagot y Gaspar Rubieau, de Subteniente.

— Cía. de Granaderos de Milicias de Nueva Orleáns:

D. Enrique Deprez, patente de Capitán. D. Juan Surinay, nombramiento de Teniente. D. Narciso de Alba, de Subteniente.

— 2.ª Cía. de Milicias de la Costa de Yberville (Luisiana):

D. Nicolás Verbois, patente de Capitán. D. Lorenzo Sigú, nombramiento de Teniente. D. Evam Jones, de Subteniente.

— Cía. de Milicias de las Costas de Fourche de Chetimachas (Luisiana):

D. Luis Judice, patente de Capitán. D. Nicolás Verret, nombramiento de Teniente. D. Luis Judice, nombramiento de Subteniente.

— Cía de Milicias de Sta. Genoveva de Ylinoa (Luisiana):

D. Carlos Vallee, patente de Capitán. D. Francisco Vallee, nombramiento de Teniente. D. Bautista Vallee, de Subteniente.

— Cía. de Milicias de Valenzuela de Chetimachas (Luisiana):

D. Anselmo Blanchard, patente de Capitán. Juan Vives, nombramiento de Teniente. Francisco Corbo, Subteniente. Isaac Leblanc, agregación de Subteniente.

— 1.ª Cía. de Milicias de las Costas de Alemanes (Luisiana):

D. Roberto Robín, patente de Capitán. Pedro Bossie, nombramiento de Teniente. Manuel Perret, de Subteniente.

— 2.ª Cía. de Milicias de Caballería de Carabineros de Nueva Orleáns:

D. Pedro Chavert, patente de Capitán. Luis Alard, nombramiento de Teniente. Honorato Lachaise-Novilliere, Subteniente.

— Cías. de Milicias de Nueva Orleáns:

D. Carlos Morand, Antonio Cavelier, Juan Bienvenu, Julián Lesasier, patente de Capitán. D. Guido Dreux, Juan Bautista Duriel, Valentín Roberto Abart, Lorenzo Wiltz, nombramientos de Teniente. D. Santiago Fortier, Daniel Grifen, Pedro Marmillón, Luis Rillieux, de Subteniente.

— Artillería de Milicias de Nueva Orleáns:

D. Miguel Fortier, patente de Capitán. Miguel Roig Xixona, nombramiento de Teniente. Julián Vienne, de Subteniente.

— Cía. de Milicias de O. Pelouzas (Luisiana):

D. Esteban de Morandiere, patente de Capitán. Francisco Lemelle, nombramiento de Teniente. Manuel Soylo, Subteniente. Donato Bello, agregación de Teniente.

— Cía. de Milicias de Punta Cortada (Luisiana):

D. Juan Francisco Allaín, patente de Capitán y nombramiento de Teniente. Ricardo Rientord, Subteniente. Augusto Allaín, agregación de Teniente.

— Cía. de Milicias de la Villa de Galveztown (Luisiana):

Josef Pauli, patente de Capitán. Agustín Brounet, nombramiento de Teniente.

— Milicias de la plaza de La Mobila:

D. Antonio Narbone, patente de Capitán. Juan D'Orbanne, nombramiento de Teniente.

— Milicias de la provincia de Luisiana:

D. Carlos Laveau Trudeau, patente de Capitán.

105 docs., núms. 134-239.

612

1786, diciembre, 31, Nueva Orleáns.
1787, enero, 11, Nueva Orleáns.

El Gobernador de Luisiana, D. Esteban Miró, al Marqués de Sonora. Remitiéndole la relación adjunta de todos los oficiales de Milicias de esta provincia.

2 docs., núms. 240-241.

613

1787, abril, 24, Nueva Orleáns.
1788, diciembre, 24, La Habana.

Patentes y despachos de oficiales del Regimiento Fijo de Luisiana, para las personas siguientes:

D. Felipe Treviño, Luis Pérez de Bellegarde, Jacobo Dubreville, Manuel Lanzós, Carlos de Morant, Ailland de St. Anne, Celestino Honorato Maxent, Aquiles M.ª Trouard, patentes de Capitán. D. Antonio Valiere, Ignacio Valderas, Josef Leblanc, Maximiliano Maxent, Valentín Leblanc, Josef Bahamonde, Pedro Foucher, Luis Desalles, Pedro Ayllín, Juan Bautista Dartigaux y Manuel Perret, de Tenientes. D. Pedro Olivier y Simón Croizet, Ayudantes. D. Antonio Palao, Josef Martínez Rubio, Carlos Villers, Fernando Lisozo, Gabriel Varea, Josef Cruzat, Alexandro Leblanc, Luis Declouet, Pedro Palao, Santiago Villers, Francisco Cerbone, Domingo Bouligni, Antonio Griffon, Ursino Durell, Josef de Cuix, Pablo Marcolet, Mauricio Demouyes, Francisco Langlois, Pedro Rosier, de Subteniente.

73 docs., núms. 242-346.

614

1787, julio, 18, Nueva Orleáns.
1787, noviembre, 13, San Lorenzo del Escorial.

Aprobación Real del nombramiento hecho por el Intendente de Luisiana, de D. Francisco Ygnacio Cernadas, Meritorio de la Contaduría General del ejército de Luisiana, para ocupar el puesto de Guarda de Almacén de víveres y Fortificación de Pensacola, vacante por fallecimiento del anterior, D. Blas González.

2 docs., núms. 347-349.

615

1787, agosto, 12, Nueva Orleáns.
1788, enero, 28, El Pardo.

Aprobación Real del nombramiento hecho por el Gobernador de Luisiana, de D. Francisco Javier Fernández, Oficial de Intendencia, para cubrir la vacante dejada en la Secretaría del Gobierno por fallecimiento de D. Pedro Miró.

2 docs., núms. 350-352.

616

1786, octubre, 25, Nueva Orleáns.
1788, abril, 26, La Habana.

Expediente: nombramiento del Teniente Coronel D. Josef Fides, Capitán de Dragones en Luisiana, para el empleo de Sargento Mayor de Nueva Orleáns, y, por fallecimiento de éste, a D. Gilberto Guillemard, 2.º Ayudante de Nueva Orleáns.

14 docs., núms. 353-369.

617

1787, julio, 20, Nueva Orleáns.
1788, abril, 25, La Habana.

Expediente: patente de Capitán y nombramientos de tenientes y subtenientes para los siguientes individuos del Regimiento de Infantería Fijo de Luisiana:

— D. Manuel Caxigas, patente de Capitán. D. Carlos Villers y Francisco Duverger, nombramientos de tenientes. D. Josef Campana, Bartholomé Pellerín y Antonio Codoñán, de subtenientes.

16 docs., núms. 370-392.

618

1784, julio, 10, Pensacola.
1788, mayo, 6, Aranjuez.

Expediente: solicitud del grado de Brigadier y aumento de sueldo, por D. Arturo O'Neill, Comandante de Pensacola, que intervino en la firma del tratado de paz de 1784 con las naciones indias.

6 docs., núms. 393-399.

619

1787, septiembre, 14, Nueva Orleáns.
1788, mayo, 17, Aranjuez.

Expediente: concesión a D. Lorenzo Rigolene, Subteniente del Regimiento de Luisiana, del grado de Teniente de la 8.ª Cía. del 3.º Batallón del Regimiento Fijo de Luisiana.

4 docs., núms. 400-404.

620

1787, julio, 29, San Agustín de la Florida.
1788, mayo, 17, Aranjuez.

Expediente: nombramiento de 2.º Ayudante de la Plaza de San Agustín de la Florida a D. Josef Fernández, Subteniente del Regimiento Fijo de La Habana.

4 docs., núms. 405-409.

621

1788, enero, 8, Nueva Orleáns.
1788, agosto, 28, Nueva Orleáns.

Expediente: despachos de Capitán, tenientes y subtenientes, a los siguientes individuos del Regimiento Fijo de Luisiana:

— D. Josef Portillo, Capitán. D. Alexo Pastor y Josef Álvarez Campana, tenientes. D. Francisco Caso y Luengo, Agustín Macarti, Antonio Soto y Josef Cayado, subtenientes.

17 docs., núms. 410-434.

622

1787, noviembre, 25, Nueva Orleáns.
1788, mayo, 27, Aranjuez.

Expediente: aprobación Real del nombramiento del religioso Capuchino Fr. Francisco de Caldas, como Capellán del Hospital Real de Nueva Orleáns, vacante por el fallecimiento del P. Fr. Salvador de la Esperanza.

2 docs., núms. 435-436.

623

1788, junio, 20, Aranjuez.

Carpetilla dirigida al Gobernador de Luisiana. Remitiéndole el despacho del grado de Alferez para D. Pedro de los Santos, Sargento 2.º del Regimiento Fijo de Lusiana.

Núm. 437.

624

1788, septiembre, 13, San Ildefonso.

Carpetilla dirigida al Gobernador de Florida. Remitiéndole el despacho de Capitán agregado al Fijo de la Plaza de La Habana, para D. Carlos Howard, Capitán del Regimiento de Infantería de Hivernia.

Núm. 438.

625

1788, mayo, 17, Aranjuez.
1788, septiembre, 23, Guatemala.

Agregación a la tropa que guarnece San Agustín de la Florida, a favor de D. Pedro Ponce de León, Subteniente de la Compañía Fija del Presidio del Peten (sic).

1 doc., núms. 439-440.

626

1788, abril, 6, Nueva Orleáns.
1788, octubre, 4, San Ildefonso.

Expediente: concesión de licencia de retiro para D. Alfonso Saldós, Subteniente del Regimiento Fijo de Luisiana.

5 docs., núms. 441-446.

627

1788, octubre, 6, San Ildefonso.

Carpetilla dirigida al Gobernador Intendente de Luisiana. Comunicándole la concesión para D. Nicolás Delasize, Ayudante Mayor de las Milicias de Luisiana, del sueldo de Capitán vivo de Infantería.

Núm. 447.

628

1788, abril, 15, Nueva Orleáns.
1788, diciembre, 3, Nueva Orleáns.

Expediente: concesión a D. Pedro Visoso, del cargo de Maestro Mayor de Calafate del puerto de Luisiana sin más sueldo que el de los días que emplee en la carena de los buques reales.

4 docs., núms. 448-452.

629

1807, enero, 28, La Habana.
1807, abril, 30, Pensacola.

El Intendente interino de Florida Occidental, D. Juan Ventura Morales, a D. Miguel Cayetano Soler. Adjunta copias de correspondencia con el Marqués de Someruelos y el Comandante Vicente Folch, para informarle de la grave situación en que se encuentra la provincia, amenazada por los americanos y sin defensas, agravado esto por la decisión del Virrey de Nueva España de no remitir caudales a esta provincia.

3 docs., núms. 453-455.

LEGAJO 6.923

FECHOS DE EMPLEOS Y RETIROS DE FLORIDA Y LUISIANA

630

1788, junio, 20, Nueva Orleáns.
1789, enero, 8, Madrid.

Expediente: concesión de grado de Teniente de Infantería y Segunda Ayudantía de la Plaza de Nueva Orleáns, a D. Enrique Metzinger, 2.º Ayudante interino de dicha Plaza.

5 docs., núms. 1-6.

631

1789, mayo, 25, La Habana.

El Capitán General interino de Luisiana, Sr. Cabello, al Sr. D. Antonio Valdés. Avisa haber dado curso a los Reales Despachos de Brigadieres para los Gobernadores de Nueva Orleáns y Pensacola, Coroneles D. Esteban Miró y D. Arturo O'Neill. Al Capitán General de Luisiana se le remiten los despachos desde Madrid con fecha 24, enero, 1789. Respuesta de D. Esteban Miró a D. Antonio Valdés, agradeciendo el nombramiento de Brigadier (Nueva Orleáns, 25, mayo, 1789).

3 docs., núms. 7-9.

632

1788, marzo, 10, Nueva Orleáns.
1788, febrero, 8, Madrid.

Expediente: propuestas y nombramientos de Teniente y Subteniente de la 1.ª Cía. de la Costa de Alemanes para los siguientes individuos:

— D. Santiago Masicot y D. Pedro Trepagnie, tenientes. D. Juan Bautista Degrovis, Subteniente.

8 docs., núms. 10-20.

633

1788, julio, 10, Pensacola.
1789, febrero, 10, Madrid.

Expediente: concesión de retiro a D. Fernando del Postigo, Capitán del Regimiento Fijo de Luisiana con agregación a la plaza de Málaga.

6 docs., núms. 21-27.

634

1788, octubre, 15, Nueva Orleáns.
1789, marzo, 23, Madrid.

Expediente: concesión de empleos en el Regimiento Fijo de Luisiana a los siguientes individuos:

— D. Francisco Colell, Capitán; Francisco Montrevil, Ayudante Mayor; Antonio Palao y Vicente Ruibola, tenientes; Pedro La Ronde y Francisco Ballestre, Subtenientes de Granaderos; Francisco Borrás, Francisco Godoy y Nicolás Fabre D'aunoy, Subtenientes de Bandera.

16 docs., núms. 28-49.

635

1788, septiembre, 20, s. l.
1789, mayo, 25, Nueva Orleáns.

Expediente: concesión del empleo de Guarda Almacén de víveres y fortificación de Pensacola, vacante por fallecimiento de D.

Francisco Ygnacio Cernadas, a D. Antonio Valdespino, ex-oficial de la Armada. Viaje a cargo de la Real Hacienda.

9 docs., núms. 50-60.

636

1789, mayo, 25, Aranjuez.

Carpetilla dirigida al Gobernador de Luisiana. Comunicándole la concesión al Coronel D. Gilberto Antonio Maxent, de la Agregación al Estado Mayor de la Plaza de Madrid en clase de Teniente Coronel. Concesión a su hijo, D. Antonio Maxent para venir a España.

Núm. 61.

637

1789, junio, 19, Madrid.
1789, junio, 27, Madrid.

Agregación al Regimiento de Puebla para D. Roberto Rollín, Capitán del Fijo de Guatemala, y agregación al Regimiento de Infantería de Guatemala en clase de Teniente a D. José Troncoso, Teniente del Regimiento de Puebla.

2 docs., núms. 62-63.

638

1789, julio, 11, Madrid.

Carpetilla dirigida al Capitán General de Luisiana. Remitiéndole el despacho de Teniente Coronel a favor de D. Esteban Baugine, Capitán de Infantería. Se le niega el reintegro que reclamó.

Núm. 64.

639

1789, mayo, 20. Nueva Orleáns.
1789, agosto, 24, Madrid.

Expediente: concesión del grado de Coronel para D. Francisco Bouligny, Teniente Coronel del Regimiento de Infantería Fijo de Luisiana.

4 docs., núms. 65-69.

640

1789, septiembre, 6, San Ildefonso.

Carpetilla dirigida al Gobernador e Intendente de Luisiana. Comunicándole la concesión al Teniente Coronel, Barón de Browner, de un sueldo mensual.

Núm. 70.

641

1788, marzo, 8, Nueva Orleáns.
1789, septiembre, 8, Madrid.

Expediente: nombramiento del Teniente Coronel D. Manuel Gayoso de Lemos como Gobernador de Natchez, con sueldo y gratificación anual.

11 docs., núms. 71-86.

642

1789, septiembre, 15, Madrid.

Carpetilla dirigida al Capitán General de Luisiana. Concesión al Teniente Coronel D. Alexandro Declouet, del sueldo entero de Capitán de Infantería. Denegado el grado de Coronel.

Núm. 87.

643

1788, diciembre, 26, Costa de Alemanes.
1789, septiembre, 18, Madrid.

Expediente: concesión del despacho de Ayudante de las Milicias Blancas de Infantería de Nueva Orleáns para D. Carlos Morand, Capitán de Granaderos de las mismas Milicias, plaza vacante por fallecimiento de D. Nicolás Delasice. El Gobernador remite la instancia de D. Mauricio O'Conor, Teniente del Ejército y Ayudante de Milicias de la Costa de Alemanes.

5 docs., núms. 88-93.

644

1789, mayo, 20, Nueva Orleáns.
1789, septiembre, 19, Madrid.

Expediente: concesión del grado de Subteniente del Ejército y 2.º Ayudante de Milicias Blancas de aquella provincia, para D. Juan Bautista Metzinger, Sargento 1.º del Ejército destinado en las Milicias de Pardos y Morenos Libres de Nueva Orleáns.

4 docs., núms. 94-98.

645

1789, abril, 1, Nueva Orleáns.
1789, octubre, 18, San Lorenzo del Escorial.

Expediente: propuestas y concesión de despachos de tenientes y subtenientes del Fijo de Luisiana a los siguientes individuos:

— D. Francisco Caso y Luengo, Teniente; Christóbal Hidalgo, Subteniente de Granaderos; Ignacio Fernández de Velasco y Juan Bautista Pellerín, subtenientes de Banderas.

10 docs., núms. 99-109.

646

1789, septiembre, 1, Nueva Orleáns.
1790, mayo, 8, La Habana.

Expediente: concesión de despachos a los siguientes individuos del Regimiento Fijo de Luisiana y propuestas para empleos subalternos:

— D. Enrique White ascendido a Comandante. D. Felipe Treviño a Sargento Mayor. Juan de la Villebreuve, Francisco Javier Pontalba, Maximiliano Maxent y Francisco Montrevil a capitanes.

Incluye una Orden del 23, febrero, 1790, sobre el sueldo del Comandante.

21 docs., núms. 110-131.

647

1790, febrero, 18, Madrid.

Carpetilla dirigida al Capitán General de Luisiana. Remitiéndole el despacho de Teniente del Regimiento Fijo de Luisiana para D. Antonio Bassot, Subteniente del Regimiento de Soria.

Núm. 132.

648

1790, marzo, 10, Nueva Orleáns.

El Gobernador de Luisiana, D. Esteban Miró a D. Antonio Valdés. Acusa recibo del despacho del grado del Coronel a favor de D. Manuel Gayoso de Lemos, Gobernador del Puesto de Natchez.

2 docs. (original y copia), núms. 133-134.

649

1789, octubre, 7, San Agustín de la Florida.
1790, junio, 9, La Habana.

Expediente: concesión del retiro a la Villa de Guanabacoa, en Cuba, con la mitad del sueldo a D. Bernardo de la Madrid, médico del Hospital Real de Florida. Nombramiento de D. Tomás Travers para sustituirle.

5 docs., núms. 135-141.

650

1787, septiembre, 20, San Ildefonso.
1790, agosto, 5, La Habana.

Expediente: concesión de ascensos para los siguientes individuos:

— Cías. de Carabincros de Milicias de Luisiana:

D. Juan Bautista Macarty y Luis Alard, ascendidos a Capitán; D. Carlos Federico Olivier y Honorato Lachaise, a Teniente; Luis Hazur y Francisco Labarre, a Subteniente.

— Batallón de Milicias de Nueva Orleáns:

D. Francisco Riaño Güemes, ascendido a Capitán.

— 1.ª Costa (desde la Baliza a la Ciudad) (sic):

D. Vicente Lessasier, a Capitán. Santiago Larcheveque, a Teniente. Francisco Deleris, a Subteniente.

— Batallón de Milicias de Luisiana:

Christóbal de Armas y Arcilla, a Subteniente.

12 docs., núms. 142-156.

651

1790, marzo, 24, Madrid.

Carpetilla dirigida al Capitán General Interino de Luisiana. Comunicándole la concesión de una Subtenencia en el Regimiento Fijo de Puerto Rico al Cadete D. Carlos Sabino.

Núm. 157.

652

1790, mayo, 12, Aranjuez.

Carpetilla dirigida al Capitán General de Luisiana. Informándole de la concesión de la 2.ª Cía. Volante del Nuevo Santander a D. Francisco Maximiliano (de St.) Maxent.

Núm. 158.

653

1790, agosto, 4, Madrid.

Carpetilla dirigida al Capitán General de Luisiana. Concesión de Licencia absoluta para D. Santiago Villers, Subteniente del Regimiento Fijo.

Núm. 159.

654

1790, agosto, 30, Madrid.

Carpetilla dirigida al Capitán General de Luisiana. Remitiéndole el Real despacho de Teniente Coronel agregado a Luisiana para D. Gilberto Antonio Maxent.

Núm. 160.

655

1789, junio, 12, Nueva Orleáns.
1790, diciembre, 7, La Habana.

Expediente: concesión del despacho de Subteniente del Fijo de Luisiana para D. Rafael Crocker, Guardia de Corps de la Real Compañía Española.

5 docs., núms. 161-166.

656

1790, abril, 29, La Habana.
1791, abril, 9, La Habana.

Expediente: concesión a D. Vicente Fernández Texeiro, Piloto de la Real Armada, del pase «en clase de Cadete» al Fijo de Luisiana.

7 docs., núms. 167-174.

657

1790, agosto, 1, Nueva Orleáns.
1791, enero, 20, Madrid.

Expediente: propuestas de D. Pedro Piernas para cubrir las vacantes en el Regimiento de Infantería Fijo de Luisiana, y Orden Real para que se le informe sobre los cadetes propuestos y D. Pedro Rola, Sargento 1.º de este Regimiento Fijo.

3 docs., núms. 175-177.

658

1790, agosto, 1, Nueva Orleáns.
1791, enero, 24, Madrid.

Expediente: despachos de Empleos y sus propuestas en el Regimiento Fijo de Luisiana para los siguientes individuos:

— D. Francisco Guessy, Capitán; Pedro Foucher, Teniente; Joaquín Osorno y Josef Pately, ayudantes.

6 docs., núms. 178-186.

659

1791, febrero, 12, Madrid.

Carpetilla dirigida al Capitán General de Luisiana. Remitiéndole el despacho de Coronel de Milicias de Nueva Orleáns para D. Andrés Almonaster y Roxas.

Núm. 187.

660

1790, octubre, 13, Cartagena.
1791, mayo, 3, Línea de Orán.

Expediente: D. Juan Belver, Teniente del Regimiento de Infantería de Córdoba, solicita el empleo de Capitán en uno de los Regimientos del Reino de Méjico.

3 docs., núms. 188-190.

661

1790, diciembre, 24, Nueva Orleáns.
1791, mayo, 16, Aranjuez.

Expediente: concesión a D. Josef Portillo, Capitán del Regimiento Fijo de Luisiana, de la Agregación a la Plaza de La Habana.

6 docs., núms. 191-197.

662

1791, junio, 8, La Habana.

D. Manuel de Zéspedes al Conde del Campo de Alange. Agradeciendo su nombramiento como Mariscal de Campo de los Reales Ejércitos.

1 doc., núm. 198.

663

1790, marzo, 16, Nueva Orleáns.
1791, junio, 15, Aranjuez.

Expediente: concesión de licencia absoluta para retirarse del servicio a D. Santiago Villiers, Subteniente del Regimiento Fijo de Luisiana.

7 docs., núms. 199-208.

664

1791, julio, 5, Madrid.

Carpetilla dirigida al Capitán General de Luisiana. Remitiéndole los despachos de Comandante de las Compañías de Milicias de la Costa de Alemanes y el Grado de Teniente Coronel de Infantería para D. Josef Pontalba, Capitán del Regimiento de Infantería Fijo de Luisiana.

Núm. 209.

665

1790, agosto, 12, Nueva Orleáns.
1791, agosto, 13, Madrid.

Expediente: propuestas y concesión del despacho de Capitán del Regimiento Fijo de Luisiana, a D. Francisco Duverger, Teniente de Granaderos del mismo.

4 docs., núms. 210-215.

666

1791, agosto, 15, La Habana.

El Capitán General de Luisiana, Luis de las Casas, al Conde del Campo de Alange. Remite carta de D. Esteban Miró con una de D. Francisco Bouligny a éste, que contiene informes sobre el Sargento D. Pedro Rola, y los Cadetes: Antonio Cruzat, Esteban Lalanae D'Alcourt, Francisco de Paula Morales y Antón y Josef Núñez (Nueva Orleáns, 4, junio, 1791).

2 docs., núms. 216-217.

667

1790, noviembre, 8, Nueva Orleáns.
1791, agosto, 17, Madrid.

Expediente: propuestas y concesión del despacho de Capitán del Regimiento Fijo de Luisiana, para D. Josef Bahamonde, Teniente de la 2.ª Cía. de Granaderos del mismo Regimiento.

3 docs., núms. 218-222.

668

1791, abril, 1, Nueva Orleáns.
1791, septiembre, 4, San Ildefonso.

Expediente: concesión del título de Coronel del Regimiento de Infantería de Luisiana, vacante por fallecimiento de D. Pedro Piernas, para D. Francisco Bouligny, Teniente Coronel del propio cuerpo. Se le devuelven las propuestas de ascensos, para que las haga de nuevo según su cargo.

5 docs., núms. 223-228.

669

1790, agosto, 12, Nueva Orleáns.
1792, enero, 19, La Habana.

Expediente: propuestas y nombramientos para los empleos del Regimiento de Infantería Fijo de Luisiana, para los siguientes individuos:

-— D. Francisco Rivas, Pedro Blanco, Martín Palao y Manuel Martínez, Tenientes. D. Jerónimo Yébenes, Juan Sáez, Juan Mier, Josef Aguilar, Antonio Cruzat, Francisco de Paula Morales, Esteban Lalanae y Juan Blanco, Subtenientes.

31 docs., núms. 229-269.

670

1791, julio, 27, Costa de Yberville.
1792, febrero, 27, Aranjuez.

Expediente: concesión de licencia absoluta para retirarse del servicio a D. Pedro Belly, Subteniente de las Milicias de la Costa de Yberville en Luisiana.

4 docs., núms. 271-275.

671

1791, octubre, 24, La Habana.

El Capitán General de Luisiana, D. Luis de las Casas, al Conde del Campo de Alange. Remite cuatro propuestas del Regimiento Fijo de Luisiana fechadas en Nueva Orleáns el 1 de octubre de 1791. Despacho de Capitán del Regimiento de Luisiana para D. Joaquín de Osorno, Ayudante del 1.º Batallón (Aranjuez, 1, marzo, 1792).

7 docs., núms. 276-283.

672

1792, mayo, 10, Aranjuez.

Carpetilla dirigida al Capitán General de Florida. Remitiéndole el despacho de Capitán Agregado a la plaza de Cuba, para D. Manuel de Aldana, Ayudante Mayor de la de San Agustín.

Núm. 284.

673

1791, agosto, 5, Nueva Orleáns.
1792, mayo, 29, Aranjuez.

Expediente: propuestas y concesión del despacho de Subteniente de Banderas del Regimiento Fijo de Luisiana, para D. Matías Hernández, Sargento 1.º del propio cuerpo.

5 docs., núms. 285-291.

674

1791, diciembre, 17, Palacio.
1792, junio, 11, Aranjuez.

Expediente: concesión a D. Josef Boluda, Subteniente del Regimiento Fijo de Orán, de la permuta que solicitó con D. Josef Aguilar, Subteniente de Bandera del Regimiento Fijo de Luisiana.

5 docs., núms. 292-296.

675

1792, marzo, 6, Nueva Orleáns.
1792, agosto, 4, Madrid.

Expediente: concesión de licencia para retirarse a favor de D. Luis Lalande, Subteniente de Granaderos del Fijo de Luisiana.

4 docs., núms. 297-301.

676

1792, febrero, 10, Nueva Orleáns.
1792, agosto, 11, San Ildefonso.

Expediente: aprobación Real de la propuesta del Capitán General de Luisiana de formar dos Cías. de Milicias en el distrito de San Bernardo y otras dos desde el Río Mississippi hasta el Torno de Plaquemine. Remite los despachos de oficiales para los siguientes individuos:

XI. — 15

— Distrito de San Bernardo en Luisiana:

D. Santiago Sivaudais, Guido Dufosat, Bartolomé Le Breton, Luis Francisco Jantilly Dreux y Pedro Marigny, capitanes. D. Francisco Dreux, Francisco Bernoudi, Antonio Bienvenu, tenientes. D. Francisco Enoul de Livaudais, Antonio Duverge, Pedro Delery Desilet, subtenientes.

15 docs., núms. 302-319.

677

1792, septiembre, 12, Barcelona.
1793, enero, 26, La Habana.

Expediente: concesión de los despachos de Capitán del Regimiento Fijo de Luisiana para D. Josef Bekers, Capitán de Guadalajara, y D. Celestino Honorato St. Maxent, Alférez de Guardias Walonas.

8 docs., núms. 320-330.

678

1792, diciembre, 24, Madrid.

Orden Real dirigida al Capitán General de Luisiana y Florida. Se confiere la Capitanía General e Intendencia de la provincia de Yucatán a D. Arturo O'Neille, Gobernador de la plaza de Pensacola.

1 doc., núm. 331.

679

1792, diciembre, 26, Palacio.

Carpetilla dirigida al Capitán General de Luisiana. Remitiéndole los despachos de Secretario Creado del Fuerte de Natchez, D. Josef Vidal, y del grado y sueldo de Capitán de Infantería para D. Esteban Minor, Ayudante del mismo Fuerte.

Núm. 332.

LEGAJO 6.924

AÑOS 1793-1795

FECHOS DE EMPLEOS Y RETIROS DE FLORIDA Y LUISIANA

680

1792, noviembre, s. d., San Lorenzo del Escorial.
1807, febrero, 10, Aranjuez.

Expediente: concesión del empleo de Controlador del Hospital Militar de Nueva Orleáns a D. Rafael Ramos de Vilches, Cabo 1.º de Rentas Reales de dicha ciudad. También se le concede el honor de Comisario de Guerra de los Reales Ejércitos. Presenta méritos.

25 docs., núms. 1-31.

681

1793, enero, 18, Aranjuez.
1793, abril, 20, La Habana.

Expediente: concesión del grado de Subteniente del Regimiento de Infantería de Luisiana a D. José Cortés que lo es del de Córdoba, por permuta con D. José Schwager.

3 docs., núms. 32-35.

682

1788, marzo, 28, La Habana.
1793, mayo, 19, Antigola (sic).

Expediente: D. Luis de Oliveras y Fori expone al Duque de la Alcudia su penosa situación y ruega le concedan el cargo de Teniente de Ejército con Agregación a las Rentas de Cádiz.

3 docs., núms. 36-38.

683

1794, febrero, 16, Aranjuez.
1794, agosto, 13, San Agustín de la Florida.

Expediente: concesión del grado de Brigadier de los Reales Ejércitos al Barón de Carondelet, Gobernador de Luisiana, y a D. Juan Nepomuceno de Quesada, Gobernador de San Agustín de la Florida.

4 docs., núms. 39-43.

684

1792, octubre, 8, San Agustín de la Florida.
1794, febrero, 18, Aranjuez.

Expediente: concesión de grados y sus propuestas correspondientes para los cargos de Ayudante 1.º y 2.º del Presidio de San Agustín, cargos que han recaído en D. Antonio Matanza, Teniente de Granaderos del Batallón de Milicias Disciplinadas de las Cuatro Villas en Cuba y en D. Agustín García, Sargento 1.º y Ayudante Garzón de la Plana Mayor de Blancos agregada al Batallón de Pardos Libres de las Milicias de Cuba y Bayamo. Concesión de retiro y grado de Teniente para D. José Fernández, 2.º Ayudante de Presidio de San Agustín.

16 docs., núms. 44-60.

685

1793, abril, 5, Nueva Orleáns.
1794, marzo, 20, Aranjuez.

Expediente: concesión del grado de Teniente de Infantería a D. Bartolomé Le Breton, Capitán de una de las Compañías de Milicias de San Bernardo, en la provincia de Luisiana.

4 docs., núms. 61-65.

686

1793, febrero, 18, Nueva Orleáns.
1794, abril, 26, Aranjuez.

Expediente: concesión de sueldo entero de Capitán a D. Pedro Francisco Volsey, Ayudante de Teniente Gobernador de los establecimientos de San Luis de Illinois en Luisiana.

3 docs., núms. 65-69.

687

1791, septiembre, 24, Madrid.
1794, agosto, 29, México.

Expediente: provisión de varios oficiales en el Regimiento de Infantería de Luisiana:
— lista de propuestas de 31 agosto 1792.
— despachos Reales para ascenso a los siguientes oficiales:
D. Pedro Olivier y Pedro Foucher ascendidos a Capitán; Josef Leblanc, Ignacio Valderas y Gilberto Andry a Ayudante; Josef de Ville Goutin, Juan Delassize, Gerónimo Yebenes, Juan Sáez, Francisco de Ville Goutin, Ignacio Acosta, Luis Piernas y José Martínez Rubio a Teniente; Fernando Lisozo, Josef Cruzat, Luis Declouet, Josef Le Blanc, Benigno Calderón, Pedro Rola, Tomás de Villanueva, Teodoro Macarty, Federico Auteman, César de Castilla y Ursino Bouligny a Subteniente.
— despachos Reales para ascensos y sus propuestas en el Regimiento de Infantería Fijo de Luisiana:
D. Enrique White ascendido a Teniente Coronel; Felipe Treviño a Comandante.
— ascenso concedido a D. Francisco Maximiliano Maxent del grado de Comandante.

90 docs., núms. 70-173.

688

1794, mayo, 22, Aranjuez.

Carpetilla dirigida al Capitán General de Luisiana. Remitiéndole el despacho de Teniente del Fijo de Infantería de Luisiana para

D. Antonio Cobo y Morales, Guardia de Corps de la Compañía Española.

Núm. 174.

689

1793, julio, 10, Natchitoches.
1794, junio, 15, Aranjuez.

Expediente: concesión de grado y sueldo de Capitán para D. Carlos de Blanc de Saint Denis, Teniente de Caballería y Comandante del puesto de San Francisco de Natchitoches, donde mantuvo importantes relaciones para pacificar a los indios.

4 docs., núms. 175-179.

690

1794, junio, 20, Aranjuez.

Carpetilla dirigida al Capitán General de Luisiana. Concesión del grado de Capitán con agregación al Regimiento de Luisiana para D. Luis Villemont, Guardia de Corps.

Núm. 180.

691

1794, julio, 10, Madrid.

Carpetilla dirigida al Capitán General de Luisiana. Despacho de grado de Subteniente de Infantería para D. Domingo Alonso, Soldado del Regimiento de Luisiana.

Núm. 181.

692

1794, agosto, 8, San Ildefonso.

Carpetilla dirigida al Capitán General de Luisiana. Notificándole la concesión del grado de Teniente Coronel a D. Carlos Dehault Delassus, 2.º Teniente de Granaderos de las Reales Guardias Walonas.

Núm. 182.

693

1794, diciembre, 9, San Lorenzo del Escorial.

Carpetilla dirigida al Capitán General de Luisiana. Notificándole la concesión del Gobierno o Comandancia de Pensacola a D. Enrique White, Teniente Coronel del Regimiento de Infantería de Luisiana.

Núm. 183.

694

1794, febrero, 24, Nueva Orleáns.
1794, julio, 14, Madrid.

Expediente: concesión del grado de Teniente a D. Luis Declouet, Subteniente de Granaderos; de Subteniente de Granaderos a D. Pedro Palao, Subteniente, y de Subteniente de Bandera a D. Francisco Garrell, Sargento 1.°

10 docs., núms. 184-194.

695

1794, mayo, 13, Nueva Orleáns.
1795, enero, 1, Madrid.

Expediente: concesión de los grados de Teniente Coronel a D. Gilberto Guillemard, Sargento Mayor y a D. Pablo Leblanc, Ayudante 1.°, ambos de la plaza de Nueva Orleáns. Presentan méritos.

6 docs., núms. 195-201.

696

1794, agosto, 26, Nueva Orleáns.
1795, enero, 6, Madrid.

Expediente: concesión del grado de Capitán de Infantería a D. Enrique Metzinger, Ayudante 2.° de la plaza de Nueva Orleáns. Presenta méritos.

4 docs., núms. 202-206.

697

1795, febrero, 11, Aranjuez.

Carpetilla dirigida al Capitán General de Luisiana. Remitiéndole el despacho de Teniente Coronel del Fijo de Luisiana para D. Carlos Howard, Capitán de Granaderos del Regimiento de Infantería de Cuba.

Núm. 207.

698

1795, febrero, 21, Aranjuez.

Real Orden para que se traslade como Subteniente al Regimiento de Infantería de Zamora (España) el Cadete del Regimiento de Luisiana, D. Ramón de Soto.

2 docs., núms. 208-209.

699

1795, febrero, 25, Aranjuez.

Real Orden concediendo el traslado al Regimiento de Infantería de África a D. Tomás de Acosta, Capitán del Fijo de Luisiana.

1 doc., núm. 210.

700

1795, abril, 28, Aranjuez.

Carpetilla dirigida al Capitán General de Luisiana. Comunicándole que no se crea el empleo de Comandante de Frontera en el río de Santa María, en Florida Oriental, y que se ha elegido Secretario «de aquel Gobierno» a D. Manuel Rengil.

Núm. 211.

701

1795, junio, 13, Aranjuez.
1795, agosto, 21, La Habana.

Expediente: concesión de una Subtenencia agregada al Fijo de Luisiana a favor de D. Juan Ramírez de Arellano, Alférez del 2.º Escuadrón de Carabineros de la Reina M.ª Luisa.

2 docs., núms. 212-213.

702

1792, febrero, 10, Nueva Orleáns.
1795, septiembre, 4, San Ildefonso.

Expediente: concesión de grado de Teniente Coronel a D. Pedro Fabrot, Capitán del Regimiento de Infantería de Luisiana. Presenta méritos.

6 docs., núms. 214-221.

703

1795, septiembre, 21, San Ildefonso.

Carpetilla dirigida al Capitán General de Luisiana. Notificándole la concesión hecha a D. Vicente Folch de la Comandancia Civil y Militar de Pensacola con el grado de Teniente Coronel.

Núm. 222.

704

1794, julio, 1, Natchez.
1796, febrero, 19, La Habana.

Expediente: concesión del grado de Brigadier del Regimiento de Infantería de Luisiana al Coronel D. Manuel Gayoso de Lemos, Gobernador del Fuerte de Natchez. Intervino como comisionado español en la firma del Tratado de Los Nogales con las diversas naciones indias.

6 docs., núms. 223-229.

705

1795, abril, 29, Aranjuez.
1795, septiembre, 30, San Ildefonso.

Dos carpetillas dirigidas al Capitán General de Luisiana que tratan de la concesión del grado de Coronel a D. Enrique White, Comandante de la plaza de Pensacola y del gobierno de San Agustín de la Florida, posteriormente.

Núms. 230-231.

706

1795, octubre, 17, San Lorenzo del Escorial.

Carpetilla dirigida al Capitán General de La Habana. Contiene la concesión del grado de Capitán para D. Domingo Bontoux de La Blache, Sargento Mayor de Infantería en la nación francesa.

Núm. 232.

707

1794, noviembre, 13, Nueva Orleáns.
1795, diciembre, 25, San Lorenzo del Escorial.

Expediente: propuestas y nombramientos para ascensos a los siguientes oficiales del Regimiento de Infantería Fijo de Luisiana: D. Gilberto Andry, Francisco Rivas y Josef Carrizosa y Adorno, ascendidos a Capitán; Francisco Caso y Luengo a Ayudante Mayor; Félix Trudeau, Josef Villaume, Fernando Lisozo, Josef Cruzat, Pedro Palao y Domingo Bouligny a Teniente; Antonio Coudougnan, Bartolomé Pellerín, Antonio de Soto, Francisco Evia, Vicente Fernández Texeiro, Josef Damar, Carlos Demorán, Ramón de Soto, Cayetano Payjón, Antonio Gayarre y Juan Macarty a Subteniente.

43 docs., núms. 233-277.

708

1795, noviembre, 14, San Lorenzo del Escorial.
1796, abril, 14, La Habana.

Expediente: concesión del grado de Teniente Coronel de Infantería a D. Pedro Rousseau, Comandante de las Galeras del río Mississippi. Presenta méritos.

5 docs., núms. 278-283.

LEGAJO 6.925

FECHOS DE EMPLEOS Y RETIROS DE FLORIDA Y LUISIANA

709

1792, febrero, 12, Nueva Orleáns.
1796, marzo, 29, Aranjuez.

Expediente: informaciones del Capitán General de Luisiana, D. Luis de las Casas, al Conde del Campo de Alange, sobre las Milicias creadas en Luisiana para defenderse de los eventuales ataques americanos. Propuestas y concesión de despachos a los siguientes individuos, oficiales de las Milicias de Luisiana:

— Batallón de la Legión Mixta del Mississippi:

Capitanes: D. Agustín Allaín, D. Armand Duplantier, Josef Pauly, Anselmo Blanchard, Juan Francisco Allaín, Julián Lessassier, Nicolás Forstall, Nicolás Rousseau, Josef Sorel y Alexandro Declouet.

1.º Tenientes: D. Alexandro Patín, Guillermo Marshal, Josef Decuix, Félix Dumontier, Pedro Allaín, Simón Croizet, Luis de Villiers, Santiago Desvordes, Bernardo D'Hauterive, Francisco Grevember.

2.º Tenientes: D. Carlos Proffit, Esteban Ross, Gerónimo Blanchard, Francisco Le Doux, Francisco Duplessis, Santiago Romand, Martín Le Normand, Alexandro de L'Homme.

Subtenientes: D. Agrícola Fuselier, Gabriel Fuselier, Eduardo Ross, Alexandro Sterling, Juan Bautista Berarde, Josef Federico, Josef Boisdore, Alexandro Berarde, Santiago Judice, Bartolomé Declouet.

— Batallones de Dragones de la Legión Mixta de Milicias provinciales del Mississippi.

Capitanes: D. Alexandro Leblanc, Honorato Lachaise, Eduardo Forstall, Luis Pelletier Delahoussaise.

Tenientes: D. Paulino Allaín, Josef Poiret, Miguel Perault, Benito St. Clair.

Alféreces: D. Zenón Allaín, Juan Lessassier, Josef Gradenigo, Benito St. Clair.

— Regimiento de Milicias provinciales de Infantería de Alemanes:

Capitanes: D. Luis Judice, Santiago Masicot, Aquiles Trouard, Pedro Robín, Miguel Cantrelle, Nicolás Verbois, Evan Jones, Manuel Andry, Nicolás Verret, Lorenzo Sigur, Luis Macarty.

1.º Tenientes: D. Pedro Trepagnie, Juan Bautista Degruis, Alexandro Cabaret, Manuel Perret, Juan Bautista Verret, Luis Judice, Marius Bringer, Santiago Cantrelle, Luis Vives, Agustín Verret.

2.º Tenientes: D. Santiago Fortier, Pedro Bossie, Alexandro Lavranche, Santiago Verret, Josef Landry, Simón Ducourneau, Antonio Folta, Pedro Voisín.

Alféreces: D. Alfonso Perret, Eugenio Fortier, Santiago Cantrelle, Pedro Darisbourg, Pedro Pujol Perret, Miguel Judice, Carlos Massicot, Jorge Deslandes, Luis Verret, Francisco Delery.

— Milicias Provinciales de Infantería de Nueva Orleáns:

Capitanes: D. Antonio Cavelier, Francisco Riaño, Guido Dreux, Juan Bautista Durel, Miguel Roig, Antonio Argote y Pedro La Roche.

1.º Tenientes: D. Roberto Avart, Lorenzo Wilt, Antonio Griffón, Ursino Durel, Luis Rilleux, Vicente Lesassier y Manuel García.

2.º Tenientes: D. Francisco Langlois, Christóbal de Armas, Jaime Jordá, Miguel Dragón.

Subtenientes: D. Próspero Barbín, Luis Boisdore, Josef Cavelier, Luis Avart, Juan Reynaud.

— Milicias de Carabineros distinguidos de Luisiana:

Capitanes: D. Juan Bautista Macarty y Carlos de La Chaise.

Tenientes: D. Luis Alard y Carlos Oliver y Forcel.

Subtenientes: D. Luis Javier Hazur de L'Horme y Francisco Renato de La Barre.

— Milicias de Artillería de Luisiana:

Capitán: D. Miguel Fortier.
1.º Teniente: D. Julián Vienne.
2.º Teniente: D. Pablo Darcantel.
Subteniente: D. Francisco Durell.

175 docs., núms. 1-194.

710

1794, mayo, 22, Aranjuez.
1796, septiembre, 30, La Habana.

Expediente: concesión a D. Antonio Cobo y Morales, Guardia de Corps de la Cía. Española, de la Tenencia del Regimiento de Infantería de Luisiana y pase al de Caballería del Rey. Licencia y prórroga para permanecer en Madrid.

11 docs., núms. 195-207.

711

1796, febrero, 6, Nueva Orleáns.
1796, julio, 4, Madrid.

Expediente: concesión de premios a los individuos que desempeñaron comisiones del Real servicio y expedición a las Barrancas de Margot:

— D. Andrés López Armesto, honores de Comisario de guerra; Manuel García, ascenso a Capitán; Juan Bautista Metzinger y Vicente Fernández Texeiro a Teniente; Francisco Langlois, Juan Barnó y Ferrusola y Bernardo Molina a Subteniente.
Incluye la recomendación para grados a favor de D. Pedro Rousseau y D. Domingo Bouligny, ya premiados.

16 docs., núms. 208-226.

712

1796, agosto, 1, San Ildefonso.

Carpetilla dirigida al Capitán General de Luisiana. Remitiéndole el despacho de agregación al Regimiento de Infantería de esa provincia para D. Francisco de Ladeveze, voluntario distinguido del de Infantería de Borbón.

Núm. 227.

713

1795, julio, 3, Nueva Orleáns.
1796, agosto, 8, San Ildefonso.

Expediente: concesión de despachos para los subalternos del Regimiento de Infantería de Luisiana.

D. Antonio Coudougnan y Bartolomé Pellerín, ascendidos a Teniente; D. Augusto Macarty, Juan Pellerín, Vicente Borges, Eudaldo Castell y Josef Hevia a Subteniente.

16 docs., núms. 228-244.

714

1796, marzo, 7, Baton Rouge.
1797, enero, 10, La Habana.

Expediente: concesión de agregación de Capitán a la plaza de Nueva Orleáns para D. Josef Vázquez Vahamonde, Capitán del Regimiento Fijo de Luisiana.

6 docs., núms. 245-251.

715

1796, marzo, 11, Nueva Orleáns.
1796, octubre, 5, San Lorenzo del Escorial.

Expediente: concesión de retiro y agregación a la plaza de Nueva Orleáns a D. Carlos Villiers, Teniente del Regimiento de Infantería de Luisiana.

5 docs., núms. 252-257.

716

1796, enero, 2, Nueva Orleáns.
1796, octubre, 5, San Lorenzo del Escorial.

Expediente: concesión de licencia absoluta para retirarse del servicio a D. Nicolás Fabre D'Aunoy, Subteniente del Regimiento Fijo de Luisiana.

6 docs., núms. 258-264.

717

1796, noviembre, 1, San Lorenzo del Escorial.

Carpetilla dirigida al Capitán General de Luisiana. Comunicándole la concesión del grado de Capitán de ejército y sueldo de Teniente Veterano de Infantería a D. Juan Bautista Filhiol, Capitán de Milicias y Comandante del Puesto de Ouachita.

Núm. 265.

718

1796, noviembre, 1, San Lorenzo del Escorial.

Carpetilla dirigida al Capitán General de Luisiana. Comunicándole la concesión del retiro de Capitán agregado a la plaza de Nueva Orleáns a D. Manuel Lanzós, Capitán del Regimiento Fijo de Luisiana. Le remite despacho expedido con fecha de 31 de enero de 1796.

Núm. 266.

719

1796, diciembre, 8, San Lorenzo del Escorial.

Carpetilla dirigida al Capitán General de Luisiana. Remitiéndole el despacho del grado de Subteniente de Infantería para D. Manuel Vicente Cuéllar, Sargento 1.º del Batallón de Milicias de Blancos de Nueva Orleáns.

Núm. 267.

720

1796, febrero, 18, Natchez.
1797, julio, 13, La Habana.

Expediente: concesión del cargo de Gobernador del Fuerte de Natchez, por traslado de D. Manuel Gayoso de Lemos, al Coronel D. Carlos Grand-Pre.

6 docs., núms. 268-274.

721

1796, junio, 15, Nueva Orleáns.
1797, junio, 28, Orizava.

Expediente: concesión de permuta de su empleo a D. César Emigdio de Castilla, Subteniente del Regimiento de Luisiana y D. Juan Moreno, Subteniente del Regimiento de Méjico.

20 docs., núms. 275-297.

722

1796, noviembre, 23, Nueva Orleáns.
1797, marzo, 9, Aranjuez.

Expediente: concesión de licencia absoluta para retirarse del servicio a D. Theodoro Macarty, Subteniente del Regimiento Fijo de Luisiana.

4 docs., núms. 298-302.

723

1796, diciembre, 7, Nueva Orleáns.
1797, mayo, 14, Aranjuez.

Expediente: concesión a D. Tomás Esteban, Sargento 1.º del Regimiento de Luisiana, del nombramiento de Subteniente de Bandera de dicho Regimiento, vacante por fallecimiento de D. Eduardo Castell. Se posterga para este nombramiento a los Sargentos 1.º Francisco Martínez y Juan Bautista de la Cruz.

8 docs., núms. 303-312.

724

1796, diciembre, 30, Nueva Orleáns.
1797, noviembre, 20, La Habana.

Expediente: concesión de ascensos a los siguientes individuos del Regimiento de Infantería Fijo de Luisiana:

— D. Carlos de Ville Goutín, Josef de Ville Goutín y Josef Villaume, ascendidos al grado de Capitán. D. Marcos de Villiers, Luis Dessalles, Antonio Soto, Agustín Macarty y Francisco Borrás a Teniente. D. Francisco Godoy, Ignacio Fernández, Pedro Duberges y Francisco Garic a Subteniente.

24 docs., núms. 313-338.

725

1797, julio, 21, Madrid.

Carpetilla dirigida al Capitán General de Luisiana y Florida. Comunicándole el nombramiento de D. Juan Pierra, Subteniente del Regimiento de Infantería de Cuba, para servir por comisión la Secretaría del Gobierno de San Agustín, vacante por ascenso de D. Manuel Rengil al Viceconsulado de Georgia.

Núm. 339.

726

1797, febrero, 13, Pensacola.
1797, agosto, 20, San Ildefonso.

Expediente: concesión de permuta de Compañías y Batallones a D. Gerónimo Yébenes, Teniente del Regimiento de Infantería de Luisiana, y D. Josef Cruzat, Teniente del 3.º Batallón del propio cuerpo.

5 docs., núms. 340-345.

727

1797, enero, 21, Nueva Orleáns.
1797, agosto, 20, San Ildefonso.

Expediente: concesión de permuta de Compañías y Batallones a D. Josef Valiere, Capitán de la 4.ª Cía. del 2.º Batallón del Regimiento de Infantería de Luisiana, con D. Francisco Montrevil, Capitán de la 3.ª Cía. del 3.º Batallón del mismo Regimiento.

4 docs., núms. 346-350.

728

1797, febrero, 28, Nueva Orleáns.
1797, agosto, 20, San Ildefonso.

Expediente: concesión de ascensos para los siguientes individuos del Batallón de Milicias de Nueva Orleáns:

— D. Próspero Barbín, ascendido a Teniente. D. Juan Reynaud, Cenón Cabalier, Juan Castañedo y Francisco Awart a Subteniente.

11 docs., núms. 351-362.

729

1796, diciembre, 31, Nueva Orleáns.
1797, agosto, 20, San Ildefonso.

Expediente: concesión de la Tenencia del Regimiento de Infantería de Luisiana, vacante por retiro de D. Carlos Villers, a D. Ignacio Fernández, Subteniente de Granaderos del mismo Cuerpo. Concesión de la Subtenencia de Granaderos a D. Josef Cortés, Subteniente de Fusileros. Propuesta para la Subtenencia de Bandera.

11 docs., núms. 363-374.

730

1797, febrero, 1, Nueva Orleáns.
1797, agosto, 30, San Ildefonso.

Expediente: ascensos para los siguientes individuos:

— D. Félix Trudeau a Capitán. D. Alejo Pastor y Francisco Godoy a Teniente. D. Rafael Crocker y Mariano Luis de Monroy a Subteniente.

15 docs., núms. 375-391.

731

1796, mayo, 20, San Agustín de la Florida.
1797, agosto, 28, San Ildefonso.

Expediente: supresión de la Ayudantía 2.ª de la plaza de San Agustín, ocupada por el Subteniente D. Agustín García, y retiro de éste con el mismo sueldo y agregación a la Isla de Cuba.

8 docs., núms. 392-400.

732

1797, julio, 15, Nueva Orleáns.
1797, noviembre, 27, San Lorenzo del Escorial.

Expediente: concesión de ascensos a los siguientes individuos del Regimiento Fijo de Luisiana:

— D. Pedro Fabrot, Marcos Villiers, Antonio de Valiere, ascendidos al grado de Capitán. D. Francisco Bellestre, Rafael Crocker, Josef Cortés a Teniente. D. Juan Blanco, Antonio Cruzat, Francisco Martínez, Josef Declouet, Luis Wiltz, Josef Alpanseque y Luis Ferrier al de Subteniente.

27 docs., núms. 401-428.

733

1797, marzo, 8, Galveztown.
1797, diciembre, 18, Madrid.

Expediente: concesión a D. Francisco Ribas, Capitán del Regimiento Fijo de Luisiana, del retiro en su clase con sueldo de reglamento y agregación al Estado Mayor de Nueva Orleáns.

6 docs., núms. 429-435.

734

1796, noviembre, 11, Pensacola.
1797, diciembre, 26, Madrid.

Expediente: concesión de retiro en clase de Teniente a D. Juan Antonio Bassot, Teniente del Regimiento de Infantería de Luisiana, con permiso para establecerse en cualquier lugar de la Península.

8 docs., núms. 436-444.

735

1797, julio, 15, Nueva Orleáns.
1797, diciembre, 26, Madrid.

Expediente: concesión de retiro en clase de Teniente Coronel y sueldo correspondiente al Teniente Coronel D. Juan de la Villebeuvre, Capitán de Granaderos del Regimiento de Infantería de Luisiana, que trabajó con los chactás y chicachás, logró la paz entre los creeks y talapuches y en 1793 consiguió la cesión de un territorio en el Río Tombecbé para el establecimiento de un fuerte.

4 docs., núms. 445-449.

LEGAJO 6.926

AÑOS 1798-1800

FECHOS DE EMPLEOS Y RETIROS DE FLORIDA Y LUISIANA

736

1797, junio, 30, Nueva Orleáns.
1798, marzo, 2, Aranjuez.

Expediente: concesión del grado de Capitán al Teniente D. Guillermo Duparc, Comandante del Distrito de Punta Cortada en Luisiana. Presenta méritos.

6 docs., núms. 1-7.

737

1798, mayo, 16, Aranjuez.

Carpetilla dirigida al Secretario del Despacho de Hacienda. Concesión de licencia para pasar a Francia y abono de sueldo al Capitán D. Luis Villemont del Regimiento de Infantería de Luisiana.

núm. 8.

738

1797, agosto, 31, Nueva Orleáns.
1798, junio, 18, Aranjuez.

Expediente: propuestas y concesiones de ascensos a los siguientes oficiales del Regimiento de Luisiana:

— D. Zenón Trudeau, Josef Leblanc, Ignacio Balderas, Luis Desalles y Alexo Pastor, ascendidos a Capitán; Martín Palao y Jerónimo Yébenes a Ayudante; Francisco de Ville Goutín y Juan Delassize a Teniente.

23 docs., núms. 9-34.

739

1797, diciembre, 19, San Agustín de la Florida.
1798, agosto, 3, San Ildefonso.

Expediente: nombramiento de D. Tomás Aguilar de Oficial de la Secretaría de Gobierno de San Agustín de la Florida.

2 docs., núms. 35-37.

740

1798, septiembre, 6, San Ildefonso.
1799, marzo, 5, La Habana.

Expediente: concesión del grado de Teniente del Regimiento de Luisiana para D. Francisco Guerrero, Guardia de Corps de la Compañía Española.

2 docs., núms. 38-39.

741

1797, diciembre, 28, Pensacola.
1802, febrero, 22, La Habana.

Expediente: concesión de traslado de Pensacola a Nueva Orleáns para D. Celestino St. Maxent, Capitán del Regimiento de Luisiana.

6 docs., núms. 40-46.

742

1797, febrero, 15, Nueva Orleáns.
1798, octubre, 15, San Lorenzo del Escorial.

Expediente: concesión de retiro como Agregado al Estado Mayor de Nueva Orleáns y sueldo para D. Carlos de Morant, Ayudante veterano de las Milicias de Nueva Orleáns.

6 docs., núms. 47-53.

743

1797, marzo, 20, Nueva Orleáns.
1798, octubre, 15, San Lorenzo del Escorial.

Expediente: concesión del grado de 2.º Ayudante del Batallón de Milicias Provinciales de Infantería de Nueva Orleáns para D. Francisco de Leyba, Subteniente agregado del mismo cuerpo.

3 docs., núms. 54-57.

744

1797, marzo, 20, Nueva Orleáns.
1798, octubre, 15, San Lorenzo del Escorial.

Expediente: concesión del cargo de Ayudante del Cuerpo de Carabineros Distinguidos de Luisiana para D. Santiago Livaudais, Capitán de Milicias de Voluntarios del Mississippi.

3 docs., núms. 58-61.

745

1796, junio, 30, Nueva Orleáns.
1798, octubre, 15, San Lorenzo del Escorial.

Expediente: concesión de retiro y grado de Alférez de Caballería para D. Francisco Deville Duparc, Brigadier de la Compañía de Carabineros de Luisiana.

4 docs., núms. 62-67.

746

1798, mayo, 20, Nueva Orleáns.
1798, octubre, 15, San Lorenzo del Escorial.

Expediente: concesión del grado de Coronel del Batallón de Milicias Provinciales de Infantería de Nueva Orleáns para D. Pedro Marigny, Comandante del Cuerpo de Voluntarios del Mississippi.

4 docs., núms. 68-72.

747

1798, octubre, 21, San Lorenzo del Escorial.

Carpetilla dirigida al Capitán General de Luisiana: concesión del traslado a Puerto Rico para D. Juan Gautier, Sargento Mayor del Regimiento de Infantería de Milicias Disciplinadas. Denegada su solicitud del grado de Teniente Coronel.

Núm. 73.

748

1798, octubre, 29, San Lorenzo del Escorial.

Carpetilla dirigida al Capitán General de Luisiana y Florida. El Rey ha concedido agregación de Subteniente en el Batallón Auxiliar de Santa Fe a D. Mariano Ruiz de Monroy que lo era del Regimiento de Luisiana.

Núm. 74.

749

1798, febrero, 17, Baton Rouge.
1798, noviembre, 1, San Lorenzo del Escorial.

Expediente: se concede una gratificación anual sobre su sueldo al Gobernador de Natchez, D. Carlos Grand-Pre.

3 docs., núms. 75-78.

750

1798, noviembre, 13, La Habana.

El Conde de Sta. Clara a D. Juan Manuel Álvarez. Remite documentos del suceso ocurrido a D. Marcos Villiers, que fue Comandante del partido de Galveztown y de la reacción de los distintos oficiales.

12 docs., núms. 79-90.

751

1798, junio, 6, Nueva Orleáns.
1798, noviembre 17, San Lorenzo del Escorial.

Expediente: concesión de permutas entre los Subtenientes del Regimiento de Infantería de Luisiana, D. Federico Auteman y D. Josef Bernardo de Hevía.

5 docs., núms. 91-96.

752

1798, enero, 22, Nueva Orleáns.
1798, diciembre, 1, San Lorenzo del Escorial.

Expediente: concesión del grado de Capitán de Milicias a D. Jaime Jordá, 2.º Teniente del Batallón de Milicias de Nueva Orleáns. Participó en las conquistas de los establecimientos ingleses del río Mississippi.

7 docs., núms. 97-104.

753

1798, diciembre, 21, Palacio.

Nota: el expediente de concesión del grado de Capitán de Milicias a favor de D. Juan Mac Queen, poblador y habitante de San Agustín de la Florida, se halla en Tropa de las dos Floridas, año 1805.

Núm. 105.

754

1799, marzo, 11, Aranjuez.

Carpetilla dirigida al Virrey de Nueva España y al Capitán General de Cuba. Permiso de permuta entre los tenientes D. Josef de Bustamante y D. Antonio Soto, del Regimiento de Infantería de Nueva España y Luisiana respectivamente.

Núm. 106.

755

1798, julio, 30, Nueva Orleáns.
1799, octubre, 5, San Lorenzo del Escorial.

Expediente: propuestas y concesiones de grados a los siguientes oficiales del Regimiento de Milicias Provinciales de Alemanes:

— D. Santiago Cantrelle, ascendido a Capitán; Santiago Fortier a 1.º Teniente; Alfonso Perret a 2.º Teniente.

10 docs., núms. 107-117.

756

1799, octubre, 31, Madrid.
1799, noviembre, 3, San Lorenzo del Escorial.

Expediente: concesión de la agregación de Teniente de Granaderos del Regimiento de Luisiana al Capitán D. Manuel de Salcedo, 1.º Teniente de Granaderos de Infantería de Canarias. Concesión de pase y antigüedad al Regimiento Fijo al Cadete del Batallón expresado D. Francisco de Salcedo para acompañar a su padre D. Manuel Juan de Salcedo, Gobernador Militar y Político de Nueva Orleáns.

3 docs., núms. 118-120.

757

1782, agosto, 3, París.
1802, julio, 12, La Habana.

Expediente: licencia de retiro con el grado de Coronel sin sueldo a D. José Javier de Pontalba, Comandante de las Milicias Provinciales de las Costas de Alemanes en Luisiana.

28 docs., núms. 121-153.

758

1799, julio, 5, Nueva Orleáns.
1800, marzo, 6, Aranjuez.

Expediente: concesión a D. Luis Declouet, Teniente del Regimiento de Luisiana, del cargo de Comandante del Cuerpo de Voluntarios de Milicias del Mississippi, con grado de Capitán y sueldo de Teniente que goza.

7 docs., núms. 154-162.

759

1799, julio, 25, Baton Rouge.
1800, marzo, 15, Aranjuez.

Expediente: aprobación Real al nombramiento hecho en el Brigadier Marqués de Casa-Calvo para pasar a Nueva Orleáns a ocupar interinamente el mando militar de la plaza, por fallecimiento de su Gobernador, D. Manuel Gayoso de Lemos.

9 docs., núms. 163-173.

760

1797, agosto, 22, Nueva Orleáns.
1800, abril, 8, Aranjuez.

Expediente: propuestas y concesiones de ascensos a los siguientes individuos del Regimiento de Infantería de Luisiana:

— D. Francisco Caso y Luengo y D. Francisco Bellestre, ascendidos a Capitán; Luis Piernas a Ayudante; Fernando Lizozo, Juan Mier y Terán, Juan Blanco, Antonio Cruzat, Esteban Dalcourt, Francisco Morales y Mathias Hernández a Teniente; Terencio Leblanc y Benigno Calderón a Subteniente de Granaderos; Francisco Martínez, José Declouet, Luis Wiltz, José Alpanseque, Luis Ferrer, Santiago De Morant a Subtenientes de Fusileros; Luis Danoy, Luis Bouligny, Diego Salazar, Luis Gayarre, Cirilo De Morant y Francisco Rodríguez a Subtenientes de Bandera.

69 docs., núms. 174-250.

761

1792, agosto, 5, Pensacola.
1800, agosto, 5, San Ildefonso.

Expediente: concesión del grado de Capitán de Infantería al Teniente D. José Noriega, Ayudante de la plaza de Pensacola. Presenta méritos.

14 docs., núms. 251-267.

762

1800, agosto, 17, San Ildefonso.

Carpetilla dirigida al Capitán General de Luisiana. Concesión de agregación de Subteniente en calidad de reemplazo en el Regimiento de Luisiana a D. Juan Bautista Sauniac Dufosat, Cadete del mismo.

Núm. 268.

763

1800, junio, 21, Madrid.
1800, septiembre, 26, Madrid.

Carta reservada dirigida al Sr. Inspector General de Infantería para que proponga oficiales para la provisión de los cargos de Coronel y Sargento Mayor del Fijo de Luisiana. Los candidatos son: D. Vicente Martorell, Comandante de Infantería de Soria y D. Manuel Artazo, Capitán de Granaderos del Regimiento de Saboya. Para la Sargentía Mayor hay una solicitud de D. Bernardo de los Cobos, Teniente Coronel graduado y Capitán del Regimiento de Infantería de Sevilla.

3 docs., núms. 269-271.

764

1799, octubre, 1, Nueva Orleáns.
1800, septiembre, 4, San Ildefonso.

Expediente: concesión de retiro con grado de Brigadier a D. Francisco Bouligny, Coronel del Fijo de Luisiana. Grado de Coronel para el Teniente Coronel D. Carlos Howard. Provisión de las vacantes de Coronel y Sargentía Mayor y remisión de propuestas.

5 docs., núms. 272-277.

765

1799, julio, 30, Nueva Orleáns.
1800, diciembre, 5, San Lorenzo del Escorial.

Expediente: concesión del grado de Ayudante Mayor del Batallón de Milicias de Nueva Orleáns para D. Antonio Cruzat, Teniente del Fijo de Luisiana.

6 docs., núms. 278-284.

766

1800, mayo, 14, Nueva Orleáns.
1800, diciembre, 5, San Lorenzo del Escorial.

Expediente: concesión del grado de Coronel del Batallón de Milicias de Nueva Orleáns para D. Gilberto Andry, Capitán del Fijo de Luisiana.

10 docs., núms. 285-295.

767

1800, abril, 22, Nueva Orleáns.
1800, diciembre, 5, San Lorenzo del Escorial.

Expediente: provisión de varios empleos y sus propuestas en el Regimiento de Milicias Provinciales de Alemanes:

— D. Juan Bautista Degruis a Teniente de Granaderos; Alexandro La Branche a 1.º Teniente; Luis Verret a 2.º Teniente; Miguel Andry y Lorenzo Sigur a Subtenientes.

12 docs., núms. 296-308.

L E G A J O   6 . 9 2 7

AÑOS 1790-1807

FECHOS DE EMPLEOS Y RETIROS DE FLORIDA Y LUISIANA

768

1790, agosto, 10, San Agustín de la Florida.
1794, julio, 13, San Agustín de la Florida.

Índices de los oficios dirigidos por el Gobernador de San Agustín de la Florida, D. Juan Nepomuceno de Quesada, al Conde del Campo de Alange, Secretario de Estado y del Despacho Universal de Guerra de España y América. Oficios del 1 al 10.

8 docs., núms. 1-8.

769

1796, diciembre, 1, Nueva Orleáns.
1797, agosto, 8, San Ildefonso.

Índices de las cartas y representaciones dirigidas por el Mariscal de Campo, Barón de Carondelet, Comandante General Interino y Gobernador de las provincias de Luisiana y Florida Occidental, a D. Miguel Joseph Azanza y D. Juan Manuel Álvarez, Secretarios de Estado y del Despacho Universal de Guerra, y sus correspondientes acuses de recibo. Cartas 1-20 a Azanza, y 1-48 a Álvarez.

12 docs., núms. 9-20.

770

1796, junio, 21, San Agustín de la Florida.
1797, diciembre, 19, San Agustín de la Florida.

Índices de oficios del Gobernador de San Agustín de la Florida, D. Enrique White, a D. Miguel José Azanza, y D. Juan Manuel Álvarez, Secretarios de Estado y del Despacho Universal de Guerra de España e Indias. Acuse de recibos correspondientes. Números 1-16, 21, 22, 23, 24 y 28.

10 docs., núms. 21-31.

771

1790, abril, 30, La Habana.
1797, mayo, 1, Aranjuez.

Índice de cartas reservadas sobre defensa de la provincia de ataques americanos, dirigidas al Ministro de Guerra por el Capitán General de Luisiana, D. Luis de las Casas, núms. 7, 8, 19, 20 y 24. Índices de cartas dirigidas al Ministro de Guerra y Hacienda de Indias por el Capitán General interino de Luisiana, Sr. Cabello, núms. 20-30. Acuse de recibo correspondiente. Índices de cartas dirigidas al Ministro de Guerra y Hacienda de Indias, por el Capitán General de Luisiana y Florida, D. Luis de las Casas, y los correspondientes acuses de recibo, núms. 10-688.

95 docs., núms. 32-129.

772

1797, julio, 29, La Habana.
1807, abril, 16, Aranjuez.

Índices de cartas dirigidas al Ministerio de la Guerra por el Capitán General de Luisiana y Florida, primero St. Clara y luego el Marqués de Someruelo, núms. 3-141 y 1-667 con el texto de las cartas 653, 654, 657 y 658. Solicitud de D. Carlos Grand-Pre, Gobernador de Natchez, para que se le conceda el Gobierno General de Luisiana, vacante por el fallecimiento del Brigadier D. Manuel Gayoso de Lemos.

85 docs., núms. 130-214.

773

1792, febrero, 22, La Habana.
1792, junio, 19, Cádiz.

Expediente: relevo de D. Esteban Miró en el Gobierno de Luisiana, por el Barón de Carondelet. Concesión del permiso para trasladarse a Cádiz y de allí a la Corte.

7 docs., núms. 215-222.

LEGAJO 6.928

AÑOS 1791-1795

CORRESPONDENCIA DEL GOBERNADOR CON LOS CAPITANES GENERALES
DE DICHAS PROVINCIAS

774

1791, abril, 12, La Habana.

D. Luis de las Casas, Capitán General de Luisiana, al Conde del Campo de Alange. Informa, en carta reservada, de lo que el Gobernador de Nueva Orleáns, Esteban Miró, previno al de Natchez, D. M. Gayoso de Lemos, sobre el puesto de Los Nogales.

1 doc., núm. 1.

775

1791, abril, 14, Frankfort en Kentucky.
1791, junio, 27, La Habana.

D. Luis de las Casas al Conde del Campo de Alange. Carta reservada en que remite noticias dadas por el Brigadier D. Jaime Wilkinson sobre D. Juan Brown, miembro del Congreso, relativas al Dr. O'Fallon y a la declaración del Congreso sobre el estado de Kentucky (La Habana, 10, junio, 1791).

D. Luis de las Casas a Alange. Carta reservada en que remite noticias de D. Jaime Wilkinson, persona a la que considera interesante proteger (La Habana, 27, junio, 1791).

Adjunta:

— D. Esteban Miró a D. L. de las Casas. Con respecto a las noticias remitidas por J. Wilkinson considera que es necesario seguir protegiendo el Fuerte de Los Nogales con los medios del Gobierno de Natchez y teme que los EE.UU. se interesen por los establecimientos situados en los ríos que van al Ohio, dadas sus intenciones de declarar la guerra a las naciones indias (Nueva Orleáns, 22, mayo, 1791).

— Traducción de carta de D. Jaime Wilkinson al Sr. Miró. Anuncia el fin de los proyectos de la Compañía del Yazú por el Dr. Santiago O'Fallon. Mr. Thomas Washington, jefe de la Compañía ha sido condenado a la horca por falsificación de moneda.

Informa que el Congreso de los EE.UU. prepara hombres para su guerra con los indios, bajo el mando del General Saint Clair.

3 docs., núms. 2-4.

776

1791, febrero, 25, Nueva Orleáns.
1791, julio, 21, Madrid.

El Conde del Campo de Alange a D. Luis de las Casas. Comunica la aprobación Real para la tripulación de la falúa del Gobernador de Natchez, dadas las circunstancias del momento.

3 docs., núms. 5-8.

777

1791, julio, 29, Madrid.

Carta reservada dirigida a D. Luis de las Casas. Se han pasado al Conde de Floridablanca cartas relativas al terreno de Los Nogales o Walmuht Hills, en la orilla izquierda del Mississippi y proyectos de la Compañía de Carolina del Sur.

1 doc., núm. 9.

778

1791, agosto, 3, La Habana.

D. L. de las Casas al Conde del Campo de Alange. En carta reservada envía dos despachos del Gobernador de Nueva Orleáns.

Adjunta:
— E. Miró a Casas (Nueva Orleáns, 17, julio, 1791).

Adjunta:
— D. Jaime Wilkinson a Miró. Comunica que irá a la expedición del ejército americano contra los indios como segundo jefe (Frankfort en Kentucky, 9 mayo, 1791).
— Carta de Santiago O'Fallon (s. l., 10, abril, 1791).
— Proclama del Presidente Jorge Washington en la que acusa a O'Fallon de reclutar fuerzas armadas en Kentucky, estado de Virginia, alterando los Tratados hechos entre los EE.UU. y las naciones indias. Desvanecidos los proyectos de la Compañía del Yazú (Filadelfia, 19, marzo, 1791).
— D. Alejandro Mac Gilliwray a E. Miró. Previniendo los intentos de la Compañía del Tenessee de establecer un fuerte en Muscle Shoals sobre el río Cheroquee. Informa haber montado guardias en dicho río y en Chicasaw Bluffs, donde los indios parecen interesados con dichas compañías. [Considera que las medidas tomadas por Mr. Gibert y Mr. Strother, jefes de la Compañía, son una violación del tratado firmado por los EE.UU.]. Respecto a la de Yazú dice que se encuentra aletargada tras la muerte de su jefe T. Washington. Añade que la vecina Georgia apoya el establecimiento de dichas compañías y que en varias ocasiones han violado el Tratado con clara intención de romper la paz. Envía los artículos principales del Tratado firmado en Nueva York con los americanos y espera que no sean contrarios a los del de Pensacola. Espera recibir ayuda Real si se declara la guerra (Pequeño Talasie, 8, junio, 1791).
— D. Alejandro Mac Gilliwray a Miró. Informa del paso por su nación del americano Mr. Pope, proveniente de Pensacola y Nueva Orleáns, con destino a Carolina del Sur y Virginia. Llevaba planos de Natchez, Nueva Orleáns y Pensacola y era enviado por Mr. Enrique Clarck, el cual preparaba en Virginia fuerzas secretas para caer sobre los puestos españoles del Mississippi. En conversación mantenida con Mr. Pope éste le recomendó neu-

tralidad en el caso de que ellos intentaran atacar los puestos españoles (s. l., s. f.).

— J. Pope a Mr. Jairus Wilcox. Carta confusa, posiblemente relativa a la proyectada expedición de Mr. O'Fallon y Mr. Clarck (Casa del General Mac Gilliwray, 4, junio, 1791).

— Miró a Gilliwray. Informará de todo lo enterado a S. M. y dispondrá para los indios cuantos auxilios necesiten (Nueva Orleáns, 6, julio, 1791).

3 docs., núms. 10-12.

779

1791, agosto, 16, La Habana.

Casas a Alange. Carta reservada en la que informa de la respuesta dada al Gobernador de Nueva Orleáns, Sr. Miró, sobre el americano Mr. Pope.

Adjunta:

— Casas a Miró. Acusa recibo del envío de noticias de A. Mac Gilliwray y aprueba la respuesta dada excepto en lo relativo a la oferta de protección y auxilios. Le aconseja mantenga cautela en su relación con el americano Pope (La Habana, 12, agosto, 1791).

2 docs., núms. 13-14.

780

1791, agosto, 3, La Habana.

Casas a Alange. Noticias de E. Miró comunicando la llegada a Pensacola del bergantín de guerra inglés «La Alerta», Capitán Jorge Burdon el cual pasó luego al río de Nueva Orleáns; disgusto de los indios chactás y chicachás por la construcción del Fuerte de Los Nogales; intentos de incendio de la ciudad de Nueva Orleáns e intento de sublevación de negros en Punta Cortada.

Adjunto:

— Miró a Casas: comunica los intentos de incendio de la ciudad de Nueva Orleáns. Envía un plano (Nueva Orleáns, 2, julio, 1791).

— Miró a Casas. Remite carta de D. Valentín Le Blanc, Comandante de Punta Cortada (Punta Cortada, 11, julio) y la respuesta

que le dio (Nueva Orleáns, 14, julio) sobre el intento de sublevación y armas hallados a los negros de las naciones Bambará
y Mandinga para atacar a los blancos.
— Plano de Nueva Orleáns. M. P. y D. VII-80.

   5 docs., núms. 15-20.

781

1791, agosto, 16, La Habana.

   Casas a Alange. Remite:
— Casas a Miró. Acusa recibo de noticias sobre los intentos de
   incendio en Nueva Orleáns y de sublevación de negros en Punta
   Cortada, y le dice que, por el momento, suspende el envío de
   los hombres solicitados dadas las circunstancias del recelo de
   los indios con el Fuerte de Los Nogales y el comienzo de las
   hostilidades entre americanos e indios (La Habana, 13, agosto,
   1791).

   2 docs., núms. 21-22.

782

1791, mayo, 29, Natchez.
1791, octubre, 5, La Habana.

   Casas a Alange. Carta reservada que trata de la presencia en
La Habana del colono de Natchez, el danés Elholm, a quien se ha-
bilitó un pasaporte para pasar a los EE.UU. en donde fue Capitán
de ejército (La Habana, 27, julio, 1791).

   Adjunto:
— Casas a D. Ignacio Vián, Encargado interino de S. M. en el Congreso. Le envía a Mr. Elholm y recomienda que no le expida
   pasaporte para España en caso de solicitarlo (La Habana, 19,
   julio, 1791).
— Casas a Alange. Remite los siguientes despachos (La Habana,
   5, octubre, 1791).

   Adjunto:
— Miró a Casas. Comunica que M. Gayoso de Lemos le ha enviado
   a Elholm con la carta siguiente (Nueva Orleáns, 27, agosto, 1791).

— Lemos a Miró. Dice que Jorge Elholm le comentó que el distrito de Natchez debía unirse a Georgia para formar un estado independiente. El Gobernador le ofreció posibilidades de trabajo en España, a fin de alejarlo de estas ideas, remitiéndole primero a Miró.

4 docs., núms. 23-26.

783

1791, octubre, 27, La Habana.

Casas a Alange. Remite el siguiente despacho.

Adjunta:
— Lemos a Miró. Comunica los ataques indios al distrito de Cumberland, en donde fue muerto el Mayor Edwin Hickman y herido el Coronel Robertson, Comandante del Distrito. Informa que el Gobernador de Cumberland, General Blount, instigó a los indios Cheroquees y Chicachás contra los intentos de la Compañía del Tenessee de establecer una colonia en Morleshoals, contra la voluntad del Congreso, por lo que dicha Compañía abandonó su idea (Natchez, 9, mayo, 1791).

2 docs., núms. 27-28.

784

1791, octubre, 31, La Habana.

Casas a Alange. Remite cartas del Gobernador de Nueva Orleáns.

Adjunta:
— Miró a Casas. Envía dos despachos (Nueva Orleáns, 23, septiembre, 1791).

Adjunta:
— Lemos a Miró. Informa del intento de la nación talapuche de atraerse a los indios Chicachás en su guerra contra los chactás, intento frustrado ya que ambas naciones afianzaron sus vínculos en La Mobila. El Presidente americano J. Washington ha dirigido carta a la nación chicachá para lo que se ha enviado un intérprete (Natchez, 31, agosto, 1791).

— Alejandro Mac Gilliwray a Miró. Da cuenta del Tratado de Paz y de los límites fijados entre la nación cheroquee y los EE.UU. por medio del Gobernador de los «territorios sur del Ohio» Mr. Blount. Dichos límites, fijados conforme al Tratado de Hopewell, prohiben la formación de puestos militares americanos en zonas de los ríos cheroquees y desembocadura del Ohio, lo cual es beneficioso para las posesiones españolas (Pequeño Talassie, 28, agosto, 1791).

3 docs., núms. 29-31.

785

1791, noviembre, 5, La Habana.

Casas a Alange. Remite carta de E. Miró.

Adjunto:

— Lemos a Miró. Envío de varias noticias acerca de la provisión de alimentos, caminos, etc., en Los Nogales; construcción de una casa fuerte llamada «Monte Vigía», en la zona más alta de Los Nogales; reconocimiento de la zona en el que describe tierras, montañas, etc. (Natchez, 10, mayo, 1791).

2 docs., núms. 32-33.

786

1792, febrero, 8, La Habana.

Casas a Alange. Informa de las novedades ocurridas en la parte francesa de la isla de Santo Domingo.

Adjunta:

— D. José Nicolás de la Espada, piloto de la goleta española «San Pedro». Da cuenta del asalto sufrido por la ciudad del Guarico y del incencio del castillo que se halla sobre la Pititanza por un grupo de negros. Los habitantes de Guarico creen que les proveen los españoles vecinos de Monte Cristi y costa de Santo Domingo (La Habana, 5, febrero, 1792).

— El Capitán D. Ignacio de Acosta informa que las ciudades de Puerto Príncipe y Jacomé se defienden de los ataques de un grupo de mulatos rebeldes (La Habana, 6, febrero, 1792).

3 docs., núms. 34-36.

787

1792, febrero, 9, La Habana.

Casas a Alange. El Gobernador de Luisiana solicita auxilios de tropa y artillería.
— Casas a Alange. Da cuenta de la tropa y artillería que ha destinado para Luisiana (La Habana, 29, febrero, 1792).
— Alange al Capitán General de Cuba, L. de las Casas. El Rey aprueba el envío de auxilios a Luisiana (Aranjuez, 27, marzo, 1792).
— Alange a Casas. Carpetilla. Mismo asunto (Aranjuez, 10, junio, 1792).

   3 docs., núms. 37-40.

788

1792, febrero, 29, La Habana.

Casas a Alange. Remite.

Adjunta:
— Carondelet a Casas. Dice que un numeroso grupo de americanos, bajo las órdenes del General Saint Clair, fueron derrotados por uno menor de indios miamis (Nueva Orleáns, 18, enero, 1792).
— Alange al Capitán General de Luisiana. Queda el Rey enterado de la noticia (Aranjuez, 18, abril, 1792).

   3 docs., núms. 41-43.

789

1792, mayo, 25, La Habana.

Casas a Alange. Informa de la salida de Kentucky de una goleta para Nueva Orleáns que le resulta sospechosa.

Adjunta:
— Gayoso de Lemos a Carondelet. Comunica que ha tomado precauciones ante el paso de unas embarcaciones, provenientes de Kentucky, con víveres para vender en la zona o en la baliza. Opina que sería lo más acertado comprarles toda la mercancía, evitando así que prosiguieran el viaje (Natchez, 11, abril, 1792).

— Casas a Carondelet. Aconseja precaución en su actuación con los americanos y dice que se compre toda la mercancía y se evite que dichas embarcaciones bajen a la baliza (La Habana, 12, mayo, 1792).

2 docs., núms. 44-45.

790

1792, julio, 7, Nueva Orleáns.

El Barón de Carondelet al Conde de Aranda. Carta reservada en que remite copia del convenio firmado entre él y A. Mac Gilliwray por el que queda anulado el tratado de límites de su pueblo Creek o Talapuche y los EE.UU., celebrado en 1790. Afirma Mac Gilliwray que este pacto será ratificado por la nación cheroquee, su aliada, así como por los chactás y chicachás, garantizado ya el territorio de Los Nogales. Mac Gilliwray insiste en la cláusula de la protección española, receloso de la situación de abandono que en el año 89 les llevó a firmar un tratado con los EE.UU. en el 90, desvaforable a los indios y a España. Se comentan las levas y concentraciones de tropas americanas en el Ohio; las amenazas hostiles de los habitantes de Cumberland contra Nuevo Madrid y el continuo intento de atraerse a los indios. Todo esto indica que están dispuestos a conseguir la libre navegación del Mississippi y teme Carondelet que esto pueda significar la pérdida de Luisiana en breve tiempo y más aún, la del reino de México. Pide se le envíen ayudas de dinero desde Nueva España y tropas para la defensa.

Adjunto:
— Copia del convenio firmado entre Carondelet y Mac Gilliwray, jefe de la nación creek, cuyos artículos tratan, preferentemente, de la protección mutua que se depararán contra los americanos (Nueva Orleáns, 6, julio, 1792).
— M. de Lanzós, Comandante de La Mobila, al Barón de Carondelet. El irlandés Juan Kiziqueda, residente en la nación chactá, trae la noticia que tres comisarios americanos, Mr. Jonatas Robinson, Antonio Fostar y David Smith, por orden del Congreso han instado a los indios a reunirse en congreso, ofreciéndoles muchos regalos, pero que los principales jefes indios no parecían estar contentos (La Mobila, 30, junio, 1792).

4 docs., núms. 46-49.

791

1792, julio, 2, La Habana.

Casas a Alange. Comunica las levas de americanos que se están dando en los EE.UU. e informa del paso dado por D. Guillermo Pantón con D. Alejandro Mac Gilliwray para que éste no apruebe el tratado de límites con Georgia. Envío de presidiarios para la defensa de Natchez.

Adjunto:
— Carondelet a Casas. Comenta la supuesta noticia del ejército ofrecido por Kentucky al Congreso para hacer la guerra a las naciones indias del norte, el cual no aceptó. Mac Gilliwray ha consentido asistir al Congreso convocado por los americanos en Rocklanding y a la invitación del mismo por medio de M. Segrove para tratar de asuntos secretos. Piensa que en breve se decidirá la guerra entre americanos y creeks y espera hacer entrar en ella a los cheroquees, chactás, chicachás y sawanow (Nueva Orleáns, 29, abril, 1792).
— Lemos a Carondelet. Conversación con Mr. Wilson, proveniente de Ohio, quien le comunicó la leva de tropas americanas, bajo el mando del General Wilkinson, contra los indios (Natchez, 20, abril, 1792).

2 docs., núms. 50-51.

792

1791, noviembre, 29, La Habana.

Extracto de carta del Capitán General de Luisiana y Floridas con las noticias dadas por el Gobernador de Florida Oriental, Juan N. de Quesada, sobre la entrega a los EE.UU. de los esclavos prófugos de allí.
— (Alange) al Conde de Aranda. Remite las noticias anteriores (San Ildefonso, 27, agosto, 1792).

1 doc., núms. 52-53.

793

1792, junio, 27, La Habana.

Extracto de carta del Capitán General de Luisiana. Remite copia del Tratado de cesión del territorio de Los Nogales y Walmut

Hills celebrado en Natchez el 14 de mayo de 1792 entre M. Gayoso de Lemos, Gobernador de Natchez, y los jefes de las naciones chicachás y chactás.

— (Alange) al Capitán General de Luisiana, Sr. Casas. Acusa recibo de las noticias anteriores (Madrid, 24, septiembre, 1792).

   1 doc., núms. 54-55.

794

1792, julio, 30, La Habana.

Casas a Alange. Notifica las levas del ejército americano y sus intentos hostiles por lo cual solicita refuerzos para el Gobernador de Luisiana a quien dice haber aconsejado que actúe con la máxima prudencia, evitando todo motivo de ruptura con ellos.

Adjunta:
— Carondelet a Casas. Habla de las amenazas del estado de Georgia de invadir los territorios creeks y de las consecuencias que se seguirían para las posesiones españolas así como de los medios a utilizar para su defensa, dado que ya se ha formado un ejército en Kentucky. Considera muy importante la defensa de Natchez y pide refuerzos de tropas (Nueva Orleáns, 24, mayo, 1792).
— D. Arturo O'Neill, Comandante de Pensacola al Barón de Carondelet. Refiere una carta de Mac Gilliwray, Comandante del Regimiento de Luisiana a D. Enrique White, en que le habla de los excesos de los habitantes de Georgia y las relaciones de las naciones creeks. Comunica el envío de balas y pertrechos a los indios creeks (Pensacola, 21, mayo, 1792).
— D. Pedro Olivier, Comisario del Rey en la nación creek a Carondelet. Da cuenta de que junto a su enviado Guillermo Pantón han logrado convencer a Mac Gilliwray para que no firme el tratado de límites propuesto por los americanos y para que no acuda a la conferencia a celebrar en Rocklanding. Asimismo comunica que el ejército de EE.UU. se dirigía hacia el Ohio o Belle Riviére quizás para apoderarse del puesto de Natchez y tierras sobre el Mississippi (Pequeño Talassie, 2, mayo, 1792).
— Casas a Carondelet. No le han parecido oportunas las normas aconsejadas a Mac Gilliwray relativas a toda ruptura de comercio y tratados con EE.UU., ya que las órdenes del Rey son evi-

tar medidas radicales y mantener la paz con EE.UU. excepto si éstos invaden y atacan los territorios indios, en cuyo caso se actuará (La Habana, 5, julio, 1792).

— «Consejo de 28, septiembre». Aprobando la respuesta dada por Casas a Carondelet.

— Alange a Casas. Mismo asunto (San Lorenzo del Escorial, 29, septiembre, 1792).

4 docs., núms. 56-59.

795

1792, noviembre, 8, La Habana.

Casas a Alange. Envía los despachos siguientes.

Adjunta:

— Carondelet a Casas. Habla de la conveniencia de potenciar como puntos defensivos de Luisiana y Florida Occidental sobre el Mississippi a Pensacola, Baton Rouge, Los Nogales y Nuevo Madrid, en vez de invertir dinero en mejorar el de Natchez, cuya situación no es tan estratégica. Asimismo por el golfo de México proteger La Mobila y Tombecbé (Nueva Orleáns, 20, julio, 1792).

— M. Gayoso de Lemos al Barón de Carondelet. Manifiesta la necesidad de construir una cárcel en Natchez y envía un padrón de la población del año 92 (Natchez, 14, junio, 1792).

— Lemos a Miró. Mismo asunto (Natchez, 6, mayo, 1792).

— Miró a Lemos. Pregunta cuáles han de ser las características de la nueva cárcel (Nueva Orleáns, 5, septiembre, 1792).

— Casas a Carondelet (La Habana, 10, octubre, 1792).

— «Estado que manifiesta la población de Natchez», a 14 de junio de 1792, con especificación de distritos y hombres blancos y negros esclavos.

— Plano de la cárcel (a edificar) en la localidad de Natchez, M. P. y D. XIX-131.

3 docs., núms. 60-63.

796

1792, diciembre, 22, Madrid.
1793, marzo, 20, La Habana.

Expediente: aprobación de S. M. del Tratado de Los Nogales, estimando la acción de los Gobernadores de Natchez y Luisiana.

Concesión de premios: a D. Juan de la Villeveubre, Capitán de Granaderos, el cargo de Comisario en la nación chactá, aconsejándole evite en cualquier momento una ruptura violenta de los indios con los americanos; a D. Esteban Minor, Ayudante del Fuerte de Natchez en Luisiana, el grado y sueldo de Capitán de Infantería; a D. José Vidal el cargo de Secretario del Gobierno de Natchez por los méritos contraídos en la firma del Tratado de Los Nogales.

8 docs., núms. 64-71.

797

1792, noviembre, 10, La Habana.

Casas a Alange. Remite varios despachos.

Adjunta:
— Carondelet a Casas. Comunica las noticias del inicio de hostilidades por parte de los americanos contra los indios talapuches, por lo que supone que no tardará en iniciarse la guerra (Nueva Orleáns, 24, octubre, 1792).

Adjunta:
— D. Pedro Foucher, Comandante del Fuerte de San Esteban de Tombecbé a M. de Lanzós, Comandante de La Mobila. Da noticias de que los americanos asaltaron y dieron muerte a un grupo de indios talapuches por lo que salió en su busca el jefe Topalgá (San Esteban de Tombecbé, 29 septiembre, 1792).
— Alange a Casas. Queda el Rey enterado de todo lo expuesto (Aranjuez, 19, febrero, 1793).

3 docs., núms. 72-75.

798

1793, marzo, 23, La Habana.

Casas a Alange. Remite un despacho.

Adjunta:
— Carondelet a Casas. Comunica la muerte del mestizo Alejandro Mac Gilliwray, jefe de la nación talapuche, y la delicada situación en que queda esta nación india por su inminente guerra con los chicachás y sus relaciones con los EE.UU. (Nueva Orleáns, 24, febrero, 1793).

2 docs., núms. 76-77.

799

1793, abril, 8, La Habana.

Casas a Alange. Remite carta.

Adjunta:

— Carondelet a Casas. Envía noticias de Lemos que tratan de D. Roberto Cochran, procedente de Pittsburgh, donde estaba reunido un ejército descontento por el riguroso mando del General Wayne. Otro se encontraba en el río Liking a las órdenes del General Wilkinson. Un comboy que volvía del Fuerte de Jefferson al cuartel general sobre el río Liking fue atacado por los indios, los cuales salieron derrotados. Rumores de que la campaña contra los indios se iniciará en el verano en las cercanías del fuerte del Detroit. Los ingleses aumentan el número de tropas en el norte. Envíos de maíz, posiblemente por el Gobernador Blount, a los indios chicachás. Últimas noticias relativas a que las milicias de Kentucky probablemente rehusarán luchar unidas al ejército y que la opinión general es contraria a la idea de que los españoles hostigan a los indios contra los americanos (Natchez, 25, enero, 1793).

2 docs., núms. 78-79.

800

1793, junio, 6, La Habana.

Casas al Duque de la Alcudia. Remite cartas del Gobernador de Florida Oriental, D. Juan N. de Quesada que tratan de la estancia en Río Nuevo del inglés Sarles Lewis, partidario de Mr. Bowles, quien favorece el tráfico con la isla de Providencia. Casas juzga que no hay motivos para detenerle y propone que se envíen fuerzas a las desembocaduras de los ríos por los que se mueve, a fin de controlarle (San Agustín de la Florida, 13, enero, 1793).

El Duque de la Alcudia al Conde del Campo de Alange. Remite los documentos anteriores (San Ildefonso, 2, septiembre, 1793).

4 docs., núms. 80-83.

801

1793, agosto, 23, San Ildefonso.

El Duque de la Alcudia al Conde del Campo de Alange. Recomienda al Barón de Carondelet y al Gobernador de Luisiana y Natchez, D. Manuel Gayoso de Lemos, por los méritos contraídos en el Tratado de Los Nogales.

1 doc., núm. 84.

802

1794, enero, 3, La Habana.

Extracto de un despacho del Capitán General de Luisiana, D. Luis de las Casas, sobre el Tratado Definitivo de Los Nogales, firmado con los indios creecks o talapuches, chactás, chicachás, alibamones y cheroquees, en Los Nogales a 28 de octubre de 1793.

1 doc., núm. 85.

803

1794, agosto, 11, La Habana.

Casas a Alange. Rumores de la expedición preparada contra Florida y de la aversión que el comisario americano D. Diego Seagrove intentó sembrar en los indios contra España en asamblea celebrada en Tuquebaches.

1 doc., núm. 86.

804

1794, noviembre, 29, La Habana.

Casas a Alange. Según le ha comunicado el Gobernador de Luisiana la nación creeck preparaba un ataque contra el General Elisha Clarck. Envío de hombres al Fuerte de San Marcos de Apalache para fortalecer a su Comandante D. Diego de Vegas.

1 doc., núm. 87.

805

1795, febrero, 14, Aranjuez.

Carpetilla dirigida al Duque de la Alcudia en la que se informa del contenido de varios despachos del Capitán General de Luisiana que tratan del fin de los intentos hostiles de los franceses contra Florida y Luisiana, de los puestos que los americanos fortifican y de la invasión del territorio creek por el Mayor de Milicias de Georgia.

1 doc., núm. 88.

806

1795, marzo, 24, Aranjuez.

Despacho dirigido al Duque de la Alcudia remitiéndole cartas del Capitán General de Luisiana con las noticias de que el partido democrático de Kentucky piensa pedir su independencia de los demás Estados Unidos de América, solicitando alianzas y ayuda a España.

1 doc., núm. 89.

807

1794, mayo, 10, La Habana.
1795, agosto, 31, San Ildefonso.

Casas a Alange. Envía en varios adjuntos la noticia de la usurpación hecha por los americanos de terrenos indios bajo la protección de S. M. Católica, al venderlos al estado de Georgia, como suyos, a cuatro Compañías particulares dirigidas por D. Nicolás Lang, D. Tomás Glascock, D. Ambrosio Gordón y D. Tomás Cunningham. Dichos terrenos están cercanos al Mississippi y Casas hace varias consideraciones sobre las fatales consecuencias que esto supondrá para los indios chactás, chicachás y talapuches, así como para las posesiones españolas. Habla de la necesidad de iniciar la defensa, pero se da cuenta de la escasez de caudales y de la pequeña ayuda que puede proporcionarles el Virrey de Nueva España, Marqués de Branciforte. Envía copia de un documento remitido por el Secretario de Estado en Georgia, D. Juan Milton: «Actos del Estado de Georgia celebrados en Augusta en el mes de diciembre de 1794 y enero de 1795». Se le previene que espere reales órdenes para actuar, dado que se está ajustando un Tratado entre España y los EE.UU.

6 docs., núms. 90-95.

808

1795, agosto, 31, San Ildefonso.

Carpetilla diririgida al Capitán General de Luisiana comunicándole quedar enterado el Rey de los intentos de los americanos establecidos en el río Tenessee; de la conjuración de los negros de Punta Cortada y del envío de un batallón al Gobierno de Nueva Orleáns.

Núm. 96.

LEGAJO 6.929

AÑOS 1793-1802

EXPEDICIÓN SOBRE LA SEPARACIÓN DE MANDO DE CUBA A LAS FLORIDAS
Y LUISIANA, Y REUNIÓN DE LOS DIFERENTES MANDOS DE ELLAS

809

1793, enero, 12, Madrid.
1793, abril, 15, Nueva Orleáns.

Gardoqui a Carondelet. Desaprueba la decisión de Carondelet
de enviar un barco a Philadelphia a por mil barriles de harina por
cuenta de la Real Hacienda, porque esto favorece el contrabando.

Carondelet a Gardoqui. Justifica su decisión de enviar a por
alimentos en época de escasez y amenaza de inestabilidad.

2 docs., núms. 1-2.

810

1793, enero, 25, Aranjuez.
1793, mayo, s. d., Nueva Orleáns.

Gardoqui al Gobernador Intendente de Luisiana, Barón de Carondelet. Pide informes sobre el nombramiento de un partidario
de D. Esteban Miró como Comandante de la Baliza del Mississippi.

Carondelet a Gardoqui. Informa sobre el nombramiento de D.
Félix Trudeau, Teniente del Regimiento Fijo de Luisiana, como Comandante de la Baliza y rechaza las acusaciones que se le hacen
a dicho Comandante de intrigar en perjuicio del Real Erario.

2 docs., núms. 3-4.

811

S. f., s. l.

Sr. Zazo a D. Fernando de Córdoba. Consultas sobre formas de enviar correspondencia mientras esté pendiente la separación de mando de Luisiana y Florida (18, febrero).

Fernando de Córdoba a Zazo. Contestación a la consulta de Zazo. Pide datos sobre el año de establecimiento de la capitanía General de Luisiana para el Conde de Gálvez (19, febrero).

Contestación de Zazo a Córdoba (20, febrero).

1 doc., núm. 5.

812

1792, agosto, 4, Nueva Orleáns.
1793, marzo, 4, Aranjuez.

Expediente: el Coronel Graduado, Barón de Carondelet, Gobernador de Luisiana, expone sus servicios y méritos en la resolución de los problemas surgidos bajo su mandato con la rebelión con los indios intentada por Mr. Bowles, las tentativas de las Cías. de establecimiento del Yazú, los intentos americanos de ocupación de Ohio, reparación de la plaza de Natchez y fortificación del puesto de Los Nogales, instalación de fuerzas flotantes en el Mississippi y negociación con los indios sobre la administración de Los Nogales. Suplica la concesión del Grado de Brigadier. Denegada.

3 docs., núms. 6-9.

813

1793, abril, 5, Natchez.

Manuel Gayoso de Lemos, Gobernador de Natchez, al Barón de Carondelet. Responde a sus disposiciones para reducir gastos extraordinarios de la provincia.

Adjunta:
— Órdenes reales disponiendo se encuentre preparado para cualquier ataque por parte de los americanos:

1) Por todos los medios se deben alejar los americanos de sus dominios.

2) Orden para que el Gobernador de La Habana le auxiliase con el socorro necesario en caso de ataque americano (San Lorenzo del Escorial, 24, septiembre, 1791).

3) Previniéndole tenga cuidado con los de Kentucky y Estados inmediatos evitando hostilidades y enfrentamientos, mientras se tratan los asuntos amigablemente con los EE.UU. (San Lorenzo del Escorial, 28, septiembre, 1791).

4) Aprobando las propuestas de Gayoso de Lemos para resistir, con apoyo de D. Luis de las Casas, el ataque que intentaba O'Fallon (San Lorenzo del Escorial, octubre, 1791).

4 docs., núms. 10-13.

814

1793, abril, 5, Natchez.

Carta reservada. El Barón de Carondelet remite, certificada con fecha 5 de abril de 1793, una orden del Conde de Floridablanca a M. Gayoso de Lemos, fechada en Madrid a 25 de diciembre dc 1790, con las normas para la compra de la cosecha de café y su envío a la Península y Nueva España.

1 doc., núm. 14.

815

S. f., s. l.

Minuta. Recoge consideraciones sobre la separación de la Capitanía General de Luisiana y Florida.

2 docs. (duplicado), núms. 15-16.

816

1793, octubre, 25, San Lorenzo del Escorial.
1794, febrero, 11, La Habana.

Expediente: separación de la Intendencia de Luisiana respecto al Gobierno de la provincia. Concesión del puesto de Intendente para D. Francisco Rendón. Comunicación al Barón de Carondelet de que se le rebaja el sueldo por la separación de la Intendencia.

4 docs., núms. 17-20.

817

S. f., s. l.

Sr. Lozano al Sr. Vázquez. Sobre la concesión de un sueldo a D. Luis de las Casas por la Capitanía General de Luisiana.

1 doc., núm. 21.

818

1770, marzo, 24, El Pardo.
1794, julio, 24, San Ildefonso.

Expediente: concesión al Barón de Carondelet, Gobernador de Luisiana, de la gracia Real para que siga percibiendo su sueldo íntegro, que había sido reducido por la separación de la Intendencia del Gobierno.

16 docs., núms. 22-40.

819

1794, marzo, 30, Nueva Orleáns.
1795, enero, 23, Aranjuez.

Expediente: solicitud del grado de Capitán General de Luisiana o traslado a uno de los Gobiernos de Veracruz, Sto. Domingo, Puerto Rico o Cartagena, por el Barón de Carondelet, Gobernador de Luisiana. Solicitud apoyada por oficiales de Milicias Veteranos y habitantes de la provincia, Ayuntamiento, Justicia y Regimiento de la ciudad de Nueva Orleáns.

5 docs., núms. 41-46.

820

1795, agosto, 17, San Ildefonso.

El Conde de Montarco al Conde del Campo de Alange. Comunica el envío de un oficio al Duque de la Alcudia, informándole de una disputa con los EE.UU. sobre límites, intento americano de establecerse en el Puerto de Muscle Schoal, sobre el río de los cheroqueses, y apoderarse de las Barrancas de Margot. Comunica también la petición de D. Luis de las Casas para que la Capitanía General de Luisiana se separe de la de Cuba, y de las medidas tomadas por el Capitán General, D. Luis de las Casas y el Barón de Carondelet para evitar la toma de los puertos de la orilla izquierda del Mississippi, de Muscle Schoal y Barrancas de Margot.

1 doc., núm. 47.

821

1795, agosto, 20, Nueva Orleáns.
1795, diciembre, 1, San Lorenzo del Escorial.

Expediente: solicitud y concesión, con fecha de 20 de octubre de 1796, del Gobierno y Presidencia de Quito, al Gobernador de Luisiana, Barón de Carondelet, que solicitaba la Capitanía General de Luisiana o en su defecto la de Cuba o Caracas.

2 docs., núms. 48 52.

822

1795, agosto, 31, San Ildefonso.

Al Capitán General de Luisiana. Comunicándole se informó al Rey, en Consejo de Estado, del contenido de su carta adjunta, fechada en La Habana a 20 de junio de 1795, dirigida al Conde del Campo de Alange, en la cual se informa sobre los sucesos acaecidos en dicha provincia.

Adjunta:
1) Oficio reservado del Gobernador de Luisiana, Barón de Carondelet, a D. Luis de las Casas, Capitán General de Luisiana. Informaciones del jefe Ugula Yacabé sobre la alianza de su pueblo, los chicachás, encabezados por Paie Min, con los americanos, que han sido autorizados a construir un fuerte en Muscle Shoals, sobre el Tenessi. Los chicachás han declarado la guerra a los talapuches. Intenciones americanas de tomar el puesto de las Barrancas de Margot, medidas españolas para evitarlo y paralizar la guerra entre los pueblos indios. Señala los problemas causados por faltas

de tropas desde Yllinoa hasta la capital de la provincia, en un momento de insurrección de negros en Punta Cortada (Nueva Orleáns, 1, mayo, 1795).

El Duque de la Alcudia le remite una Orden Real que aprueba la expedición española (Aranjuez, 30, marzo, 1793).

2) Oficio reservado del Gobernador de Luisiana a Luis de las Casas. Pide el regreso a Luisiana de la Cía. de Dragones de uno de los cuerpos de Nueva España, que se mandó a Méjico. Aduce, el temor por la continua amenaza de los EE.UU., si se les sigue negando la navegación del Mississippi. La ocupación de las tierras interiores por los indios cuyas tierras han sido vendidas. La conspiración de negros de Punta Cortada. Los frustrados ataques franceses en el Ohio y la boca del Mississippi (Nueva Orleáns, 2, mayo, 1795).

3) Oficio muy reservado del Barón de Carondelet a Casas. Noticias sobre la sublevación de negros en Punta Cortada, y temor de que sea aprovechada por los habitantes franceses para desprestigiar al Gobierno (Nueva Orleáns, 3, mayo, 1795).

Adjunta:
— Representación de Miguel Fortier, Síndico Procurador General, pidiendo al Gobernador que nombre una comisión para investigar los hechos de Punta Cortada (Nueva Orleáns, 25, abril, 1795). Adjunta carta de Mr. Fleuriau (22, abril, 1795).
— Carondelet. Explicación de las medidas tomadas para sofocar la insurrección de Punta Cortada. Denuncia calumnias contra él (Nueva Orleáns, 1, mayo, 1795).
— El Cabildo al Gobernador. Opinión respecto a las calumnias contra él (Nueva Orleáns, 29, abril, 1795).

4) Oficio muy reservado de Casas al Gobernador de Luisiana. Comunica el envío del Batallón que pidió. Pide detalles de la insurrección y aconseja sobre las medidas a tomar (La Habana, 12, junio, 1795).

Adjunta:
— Decreto francés por el que se declara abolida la esclavitud (París, 22, Germinal).
— Artículo de la Gaceta Courier de Londres del 13 de marzo de 1795, sobre un convenio entre España y EE.UU. por el cual se otorga a éstos la libre navegación del Mississippi.

5) Oficio reservado de Casas al Gobernador de Luisiana. Comunica el envío del 2.º Batallón del Regimiento de Méjico, man-

dado por el Teniente Coronel D. Joseph Lazaga, y dinero para mantener la provincia en paz y defenderse de los americanos. Aprobación de las medidas tomadas (La Habana, 13, junio, 1795).

13 docs., núms. 53-65.

823

1791, marzo, 17, Madrid.

Carpetilla dirigida al Capitán General de Luisiana con fecha 17, marzo, 1791, remitiéndole el despacho del título de Gobernador Político y Militar con la Intendencia unida de Nueva Orleáns a favor del Barón de Carondelet, y traslado a España de D. Antonio Miró. Remitida en fecha 16, octubre, 1796, al Sr. Cordoba.

Núm. 66.

824

1798, agosto, 6, La Habana.

Carta reservada del Conde de Sta. Clara al Príncipe de la Paz. Informando sobre la situación de Kentucky y la conveniencia de que el Gobernador de Nueva Orleáns siga el conducto del Capitán General para todos los asuntos propios de su encargo.

Remite:
— Carta muy reservada del Gobernador de Luisiana, D. Manuel Gayoso de Lemos, al Conde de Santa Clara. Informe de la comisión encargada por el Barón de Carondelet a D. Tomás Power, para tomar contacto con las personalidades de Kentucky: General Wilkinson y D. Benjamín Sebastián, y negociar el apoyo español a la insurrección del estado para separarse del Gobierno Federal (Nueva Orleáns, 5, junio, 1798).

2 docs., núms. 67-68.

825

1801, abril, 26, La Habana.

El Capitán General de Luisiana, Marqués de Someruelos, a D. Antonio Cornel. Hace unas consideraciones sobre la reunión de la

Capitanía General a su Gobierno, ya pedida por su antecesor D. Luis de las Casas. Remite oficios del Gobernador de Luisiana para D. Antonio Cornel.

Adjunta:

1) El Brigadier Marqués de Casa Calvo, Gobernador Militar de las provincias de Luisiana y Florida Occidental, a D. Antonio Cornel, Ministro de Estado y del Despacho Universal de Guerra. Noticias sobre la solicitud de permiso para construir un bote para atender el Fuerte de San Juan en el Bayú y otras costas (Nueva Orleáns, 10, octubre, 1800).

Remite:
— Cuatro cartas. Correspondencia entre el Marqués de Casa Calvo y D. Ramón de López y Angulo. Sobre la concesión de permiso para construir un bote (fechadas en Nueva Orleáns desde el 15 de septiembre al 3 de octubre de 1800).

2) Casa Calvo a Cornel. Estado del Regimiento de Infantería de Luisiana (Nueva Orleáns, 15, octubre, 1800).

Remite:
— Relación de la propuesta de empleos vacantes (Nueva Orleáns, 10, octubre, 1800).

3) Casa Calvo a Cornel (Nueva Orleáns, 15 octubre, 1800).

Remite:
— Josef Vidal a Casa Calvo. Informe sobre la reacción de los americanos ante la ocupación del Fuerte de Apalache por Guillermo Bowles (Natchez, 14, julio, 1800).
— Declaraciones de Mingo Ymitá, jefe de Gran Medalla, sobre las propuestas que le hiciera el intérprete americano D. Juan Pichelín para que apoyara a los españoles cuando los ingleses tomaran Luisiana (Nueva Orleáns, 4, octubre, 1800).

Casa Calvo a Mariano Luis de Urquijo, Ministro de Estado. Informe sobre los medios de indisponer a los indios contra los americanos, y situación de la defensa en la provincia con los fuertes de San Carlos y San Luis (Nueva Orleáns, 8, octubre, 1800).

4) Casa Calvo a Antonio Cornel. Informa sobre recelos de una invasión por parte de los ingleses contra los establecimientos de Ylinoa a cargo del intérprete Langlade, como Capitán (Nueva Orleáns, 19, octubre, 1800).

Adjunta:
— Carta reservada de D. Josef Vidal a Casa Calvo. Sobre las actividades de comercio clandestino de Phelipe Nolan.

19 docs., núms. 69-87.

826

1802, mayo, 12, La Habana.

El Marqués de Someruelo a D. José Antonio Caballero, sobre la conveniencia de la reunión de la jurisdicción civil y militar de Luisiana.

Remite:
— Decisión del Supremo Consejo de Indias en la competencia sobre extranjeros entre el Gobierno Militar y la Jurisdicción ordinaria (Aranjuez, 17, febrero, 1801).
— Correspondencia entre Casa Calvo y López y Angulo. Sobre la competencia entre el poder político y militar para la concesión de pasaportes.

3 docs., núms. 88-90.

LEGAJO 6.930

AÑOS 1795-1799

SUBLEVACIONES EN LUISIANA POR BANDIDOS ANGLO-AMERICANOS APOYADOS POR LOS FRANCESES

827

1795, julio, 8/1799, noviembre, 14, San Agustín de la Florida.

— Proceso seguido contra varios individuos anglo-americanos y algunos militares y milicianos habitantes de la parte española de la provincia de Florida, por intento de sublevación en Luisiana, con el apoyo y la protección de los franceses.

Contiene:
— Pieza 1.ª
Declaraciones y otras diligencias. Relación de acusados huidos a los Estados Unidos (fol. 53).

1795, julio, 8/diciembre, 11.
Fols. 1 a 297.

— Pieza 2.ª
Declaraciones de apresados. Nombramiento de curadores y defensores de los reos. Relación de acusados detenidos en el castillo de San Marcos de San Agustín. Otras diligencias.

1796, enero, 18/1797, enero, 16.
Fols. 298 a 663.

— Pieza 3.ª
Careos, ratificaciones y confrontaciones. Otras diligencias.

1797, enero, 24/noviembre, 14.
Fols. 664 a 1.175.

— Pieza 4.ª

Peticiones de los defensores. Acta de dos Juntas de Guerra. Sentencia oficial del Gobernador de Florida con relación nominal de prófugos, presos y absueltos.

1797, agosto, 31/1799, noviembre, 15.
Fols. 1.176 a 1.564.

LEGAJO 6.931

AÑOS 1798-1800

EXTRACTO DE REVISTA DE LAS TROPAS QUE HABÍA EN ELLAS

828

1798, noviembre, 7, La Habana.

El Conde de Sta. Clara, Capitán General de Luisiana y Florida, a D. Juan Manuel Álvarez. Envía los extractos de revista de tropa de los tres primeros meses de 1798, con relación de aquellos individuos que cobran sueldo.

1) 1.º Batallón del Regimiento de Infantería de Luisiana.
2) 2.º Batallón del Regimiento de Infantería de Luisiana.
3) 3.º Batallón del Regimiento de Infantería de Luisiana.
— Cía. de Granaderos.
— De 1.ª a 8.ª Cías. de Fusileros.
— Plana Mayor.
— Resumen.

(Relación de Capitanes, Tenientes, Subtenientes, Sargentos, Cabos, etc., el Coronel: D. Francisco Bouligny.)

4) Cías. del Real Cuerpo de Artillería.
— Relación de oficiales. Coronel: D. Nicolás Fabre D'Aunoy.

5) Estado Mayor: Sargento Mayor, Ayudante Mayor, 2.º Ayudante Mayor, Comandante, Teniente Coronel, Capitanes, Tenientes, etcétera.

6)   Estado Mayor de las Milicias: Ayudante Mayor, Tambor, Sargentos y Cabos 1.º

19 docs., núms. 1-19.

829

1798, noviembre, 21, La Habana.
1801, febrero, 27, La Habana.

El Conde de Sta. Clara, Capitán General de Florida y Luisiana, a D. Juan Manuel Álvarez. Remite los extractos de revista del 3.º Batallón de Infantería de Cuba que guarnece San Agustín de la Florida, y el Estado Mayor de aquella plaza, en las fechas comprendidas entre abril de 1798 a diciembre de 1800 (Nota: falta el 1.º trimestre de 1800).

a)   El extracto consta: Cía. de Granaderos, 1.ª-4.ª Cías. de Fusileros, Plana Mayor, resumen (relación de oficiales).

b)   El Estado Mayor:
— Gobernador político y Militar y Comandante General de Florida: D. Enrique White.
— Ayudante Mayor: D. Antonio Matanza.
— Ingeniero en 2.ª: D. Pedro Díaz Berrió.

66 docs., núms. 20-85.

LEGAJO 6.932

AÑO 1800

DOCUMENTOS DE BASTANTE INTERÉS. MOVIMIENTO DE PERSONAL

830

1789, agosto, 25, Florida.
1789, noviembre, 6, La Habana.

El Capitán D. Manuel de Aldana, Ayudante Mayor en la plaza de San Agustín de la Florida, solicita el traslado a La Habana. Presenta como méritos su participación en el combate en el navío «Invencible» contra «La Inglesa» mandada por el Almirante Carlos Knowles.

2 docs., núms. 1-2.

831

1785, enero, 8, Nueva Orleáns.
1790, marzo, 21, Madrid.

Expediente: D. Ignacio de Acosta, Subteniente del Regimiento Fijo de Luisiana, solicita el grado de Teniente. Participó en la conquista de La Mobila y Pensacola según acreditan: Bernardo de Gálvez, Esteban Miró y Francisco Bouligny.

5 docs., núms. 3-7.

832

1790, abril, 28, Florida.
1790, mayo, 3, Florida.

D. Bartolomé Morales expone no haber participado en la formación del Batallón de Oficiales hecha por el Brigadier D. Domingo Cabello, que S. M. no ha aprobado. Solicita el grado de Coronel y la permanencia de un hijo suyo en el Regimiento de Cuba como Subteniente.

2 docs., núms. 8-9.

833

1790, diciembre, 20, Cádiz.

D. Pedro La Torre y D. Pedro Nieto, soldados del Regimiento de Luisiana solicitan su traslado a España.

1 doc., núm. 10.

834

1791, julio, 15, Nueva Orleáns.

D. Juan Blanco, Sargento 1.º del Regimiento Fijo de Infantería de Luisiana, solicita se le eleve a oficial de ejército. Presenta los méritos obtenidos en las expediciones del Conde de Gálvez contra los establecimientos ingleses del Mississippi.

2 docs. (duplicado), núms. 11-12.

835

1791, noviembre, 15, Madrid.

D. Josef de Antonio, Tambor agregado a la 2.ª Cía. de Inválidos Hábiles de Madrid, solicita pasar como soldado o tambor al Regimiento Fijo de Luisiana.

1 doc., núm. 13.

836

1792, enero, 10, La Habana.
1792, abril, 16, Madrid.

Expediente: D. Francisco Trocorris y Rosas, Capellán del Real Hospital de Florida, solicita el traslado al Castillo del Príncipe, en La Habana.

2 docs., núms. 14-15.

837

1792, diciembre, 14, Madrid.

D. Ramón Caballero, Soldado del Regimieto de Infantería de Luisiana, solicita el traslado al de Méjico por motivos de salud.

1 doc., núm. 16.

838

1791, abril, 4, Nueva Orleáns.
1793, septiembre, 14, Olot.

D. Felipe Treviño, Teniente Coronel Graduado y Sargento Mayor del Regimiento de Infantería de Luisiana, solicita el grado de Teniente Coronel, vacante por ascenso de D. Francisco Bouligny, para cuyo cargo está propuesto el Comandante D. Enrique White, y el hábito de una orden de Calatrava o Santiago. Presenta méritos.

5 docs., núms. 17-21.

839

1793, octubre, 1, Nueva Orleáns.

D. Francisco Condo, Cabo 1.º en el Regimiento de Infantería de Luisiana, desertor arrepentido y enviado a Luisiana, solicita indulto y el cargo de su padre fallecido de «Ministro de las Rondas Bolantes de Reales Rentas del tabaco del Reino de Dicha Cataluña» (sic).

1 doc., núm. 22.

840

1793, noviembre, 20, Nueva Orleáns.

D. Antonio de Robles Cavresco, Teniente de Infantería y Capitán Comandante de la guardacostas real «Latina», solicita traslado a La Mobila como Comandante por motivos de salud.

1 doc., núm. 23.

841

1793, agosto, 31, Nueva Orleáns.
1794, enero, 28, Nueva Orleáns.

Expediente: solicitud de D. Miguel Cipriano de León, Soldado del Regimiento de Luisiana, para que se le concedan los Cordones de Cadete en el mismo Regimiento.

8 docs. (3 duplicados), núms. 24-33.

842

1794, enero, 31, San Agustín de la Florida.
1794, marzo, 13, San Agustín de la Florida.

Expediente: D. Joseph Fernández, Subteniente y 2.º Ayudante de la plaza, solicita el cargo de 1.º Ayudante que desempeña sin propiedad desde 1792, y el sueldo y grado de Teniente. Alega méritos.

4 docs., núms. 34-37.

843

1794, marzo, 16, Madrid.

D. Antonio Argote, Capitán Agregado al Batallón de Milicias de Nueva Orleáns, solicita el grado de Capitán de ejército retirado y permiso para pasar a España.

1 doc., núm. 38.

844

1794, noviembre, 22, Nueva Orleáns.

D. Francisco Gomar, Sargento de Artillería de Nueva Orleáns, solicita el grado de Subteniente de la misma Cía.

1 doc., núm. 39.

845

1795, enero, 12, Madrid.

D. Josef de Ortega y Díaz, Abogado de los Reales Consejos y Auditor de Guerra de San Agustín de la Florida, solicita su traslado a la Isla Margarita.

1 doc., núm. 40.

846

1795, enero, 18, San Agustín de la Florida.

D. Pascual Centurión, Cabo 1.º del 3.º Regimiento de Infantería de Cuba en San Agustín, solicita Real permiso para pasar a la República de Génova (Italia), su patria.

2 docs., núms. 41-42.

847

1795, marzo, 1, «Fuerte de la Confederación».

D. Pascual Rizo, Sargento de 2.ª clase del Regimiento Fijo de Luisiana, solicita pasar con el mismo cargo a uno de los Regimientos de España.

1 doc., núm. 43.

848

1795, marzo, 17, Madrid.

Dña. Manuela de Lera pide información sobre el paradero de su marido D. Rodrigo Cortina, quien sirvió en el Regimiento de Luisiana en Pensacola.

1 doc., núm. 44.

849

1786, abril, 12, Méjico.
1795, abril, 9, Nueva Orleáns.

D. Josef Hevía, Alférez de fragata de la Real Armada y Capitán del puerto de Nueva Orleáns y Comandante del resguardo del río Mississippi, adjunta sus méritos y solicita un puesto en el Cuerpo de Cadetes del Real Ejército para sus hijos D. Francisco Emeterio y D. Josef Bernardo.

4 docs., núms. 45-52.

850

1795, abril, 24, Nueva Orleáns.

D. Ramón de Soto, Cadete del Regimiento de Infantería de Luisiana, solicita el grado de Subteniente.

1 doc., núm.‾53.

851

1795, mayo, 6, Pensacola.

D. Francisco González de Jonte, Guarda Almacén General de Fortificación y Víveres de Pensacola y encargado de los indios, solicita el traslado a la Isla de Cuba.

1 doc., núm. 54.

852

1794, octubre, 29, San Agustín de la Florida.
1795, junio, 6, San Agustín de la Florida.

D. Santos Rodríguez, Guarda Almacén de Víveres y Teniente ministro de Real Hacienda en San Vicente Ferrer, solicita el empleo de Controlador del Real Hospital Militar de esta plaza.

5 docs., nums. 56-60.

853

1795, julio, 23, San Agustín de la Florida.

D. Bartolomé Morales, expone la competencia en el mando que le harán un Ingeniero y un Capitán de Artillería, cuando en breve, sean ascendidos a Teniente Coronel, debido a que, aunque graduado de Coronel sólo es Comandante del 3.º Batallón del Regimiento de Infantería de Cuba. Se defiende Morales aludiendo a varias leyes y pide Resolución Real.

1 doc., núm. 61.

854

1795, agosto, 1, Pensacola.

D. Josef Noriega, comunica al Duque de la Alcudia la muerte del Conde de la Unión en la batalla de la Ermita del Roure. Solicita para sí el empleo de Sargento Mayor de Pensacola con el grado de Teniente Coronel de Infantería y expone méritos.

1 doc., núms. 62-63.

855

1788, abril, 8, San Sebastián.
1795, agosto, 11, Pensacola.

D. Matías Cervera, Sargento 1.º del Regimiento de Luisiana, solicita el grado de Alférez.

5 docs., núms. 64-68.

856

1795, agosto, 30, Nueva Orleáns.

D. Antonio de St. Maxent, Capitán retirado y Comandante del Fuerte de Placaminas en Luisiana, a la entrada del Mississippi, expone que participó en la formación del establecimiento de Valenzuela (sic) de 1776-1785, donde gobernó así como en Galveztown, participó en la toma de los establecimientos ingleses del Mississippi. Solicita la Comandancia Civil y Militar del Fuerte de Placaminas con el grado de Teniente Coronel.

1 doc., núm. 69.

857

1794, julio, 8, Madrid.
1795, septiembre, 9, Madrid.

D. Andrés Almonaster y Roxas, Coronel de las Milicias de Nueva Orleáns comunica que ha tenido roces con el Gobernador de Nueva Orleáns, Barón de Carondelet, por el trato que éste dispensa al ejército y a él. Habla de sus obras de «caridad», construcción de edificios religiosos y hospitales. Solicita el grado de Brigadier de los Reales Ejércitos.

2 docs., núms. 70-71.

858

1795, septiembre, 1, Nueva Orleáns.
1795, octubre, 24, Nueva Orleáns.

D. Rafael Ramos de Vilches, propone para ocupar el cargo de Boticario Mayor del Hospital Real de Nueva Orleáns, vacante por cese de D. Josef Ocón, a D. Juan Francis Laparte. Nombrado para el cargo D. Domingo Fleytas, practicante.

8 docs., núms. 72-79.

859

1795, noviembre, 10, Madrid.

D. Josef Vidal, Capitán de Artillería de Milicias de Natchez y Secretario de su Gobierno. Participó en el tratado de 1792 con los indios chactás y chicachás por el cual cedieron el territorio del Yazú que comprende el Fuerte de Los Nogales o Walmut Hills. Solicita el grado de Capitán de Ejército.

2 docs., núms. 80-81.

860

1795, noviembre, 19, Madrid.
1796, junio, 14, Madrid.

D. Francisco Bouligny, Coronel del Regimiento Fijo de Luisiana, solicita el cargo de Gobernador de la provincia de Luisiana. Presenta una relación de méritos y servicios.

2 docs., núms. 82-83.

861

1796, junio, 27, Madrid.

D. Carlos D'Aunoy, Cadete en el Regimiento de Luisiana, solicita su traslado al de Guardias Walonas.

1 doc., núm. 84.

862

1796, junio, 28, Nueva Orleáns.

D. Ramón Simón López de Ávila, Sargento 1.º del Regimiento de Infantería de Luisiana, solicita se le traslade al Regimiento de Infantería Fijo de Guadalajara en el Reino de Nueva España.

1 doc., núm. 85.

863

1796, julio, 11, Madrid.

D. Juan Bautista de Maxé, Capitán Comandante del Regimiento de Infantería de Orleáns y Caballero de la Real Orden Militar de San Luis al servicio de S. M. Cristianísima, solicita empleo en las tropas de S. M. Católica en España o América.

1 doc., núm. 86.

864

1796, agosto, 27, La Habana.
1796, septiembre, 6, La Habana.

Dña. María Ángeles Florencia, natural de San Agustín de la Florida y residente en La Habana, solicita pensión.

2 docs., núms. 87-89.

865

1796, octubre, 28, Cádiz.

D. Francisco de Ladevesse, Subteniente del Regimiento Fijo de Luisiana, solicita el abono de sueldos.

1 doc., núm. 90.

866

1791, junio, 11, La Habana.
¿1797?, s. m., s. d., La Habana.

Dña. Manuela de Castro Palomino, esposa de D. Ramón de Villers, Teniente graduado de Capitán del Cuerpo de Dragones de América destacado en San Agustín de la Florida, solicita para él el grado vacante de Capitán.

2 docs., núms. 91-92.

867

1797, marzo, 1, Madrid.

D. Miguel de Iznardy, vecino de San Agustín de la Florida, ha prestado numerosas ayudas económicas y personales a S. M. como Capitán de Milicias Urbanas, Intérprete y Administrador. Descubrió en 1795 el intento de D. Santiago Duarte de someter el país al gobierno francés. Solicita el grado de Teniente Coronel y licencia para vender sus posesiones y trasladarse a España.

2 docs., núms. 93-94.

868

1796, febrero, 4, Nueva Orleáns.
1797, agosto, 17, Nueva Orleáns.

D. Manuel Gayoso de Lemos agradece la concesión del grado de Brigadier y participa que ha concluido la «campaña de las Barrancas de San Fernando y el reconocimiento de los altos de la provincia de Luisiana hasta los últimos establecimientos del Misouri» (año 1776). Agradece el cargo de Gobernador de la provincia (1797).

2 docs., núms. 95-96.

869

1792, enero, 30, Nueva Orleáns.
1798, marzo, 26, Pensacola.

D. Antonio Palao, Teniente del Regimiento de Infantería de Luisiana, solicita el cargo de Ayudante Mayor del Regimiento. Recomendación de su hermano D. Ramón Palao, Presbítero de la Catedral de Nueva Orleáns. Presenta méritos.

7 docs. (1 por triplicado), núms. 97-103.

870

1798, mayo, 14, Nueva Orleáns.

D. Josef González, Soldado del Regimiento de Infantería de Luisiana, solicita de S. M. Carlos IV el perdón de su delito de deserción.

1 doc., núm. 104.

871

1798, mayo, 30, Aranjuez.

D. Francisco M.ª de Zafra solicita la plaza de Contralor (sic) del Real Hospital de La Habana, a causa del fallecimiento de D. Pedro Caraballo.

1 doc., núm. 105.

872

1798, julio, 21, Nueva Orleáns.
1798, julio, 31, Nueva Orleáns.

El Capitán del Regimiento de Infantería de Luisiana, D. Marcos de Villiers, quien fue Comandante del partido de Galveztown, ha sido arrestado e injuriado por el Alcalde de Nueva Orleáns, D. Manuel Serans y dos alguaciles. El Gobernador no ha querido oírle en justicia, arrestándolo en su domicilio y dejando impunes a los otros.

10 docs., núms. 106-115.

873

1795, diciembre, 3, San Sebastián.
1798, agosto, 17, Cádiz.

D. Sebastián de Santiago, Cabo 2.º del Regimiento Fijo de Luisiana, solicita ascenso al grado de Sargento y abono de sueldos.

4 docs., núms. 116-119.

874

1799, julio, 20, Almería.
1799, octubre, 2, Málaga.

Dña. M.ª Tomasa de Montes, hija del Teniente Coronel D. Tomás de Montes y viuda de D. Antonio Valdespino, Guarda Almacén que fue de las fortificaciones de víveres de Pensacola, solicita se le continúe pasando la pensión que se le ha suspendido.

3 docs., núms. 120-122.

875

1800, julio, 30, San Carlos de Barrancas.
1800, octubre, 6, Nueva Orleáns.

Se concede al Subteniente de Pensacola D. Ignacio Salens, el relevo de su cargo y el traslado a Nueva Orleáns por motivos de salud. Hay dos propuestas para sustituirle en las personas del Teniente D. Pedro Henrique y el Capitán de Artillería D. Josef Méndez. Recomendación a favor del primero por D. Nicolás Fabre D'Aunoy, Coronel del Real Cuerpo de Artillería y Comandante de Luisiana.

2 docs., núms. 123-124.

ÍNDICES

ÍNDICE ANALÍTICO

ÍNDICE GENERAL

GUERRA MODERNA